Le royaume de
Lénacie

Tome 2
Vague de perturbations

De la même auteure

Paru

- *Le royaume de Lénacie*
  tome 1 : Les épreuves d'Alek

À paraître

- *Le royaume de Lénacie*
  tome 3 : Complots et bravoure

Priska Poirier

Le royaume de
Lénacie

Tome 2
Vague de perturbations

ÉDITIONS DE MORTAGNE

Catalogage avant publication de Bibliothèque et Archives
nationales du Québec et Bibliothèque et Archives Canada

Poirier, Priska

   Le royaume de Lénacie

   Sommaire: t. 1. Les épreuves d'Alek -- t. 2. Vague de perturbations.
Pour les jeunes de 10 ans et plus.

   ISBN 978-2-89074-922-1 (v. 2)

   I. Titre. II. Titre: Les épreuves d'Alek. III. Titre: Vague de perturbations.

PPS8631.O374R69 2009   jC843'.6   C2008-942367-4
PPS9631.O374R69 2009

Édition
Les Éditions de Mortagne
Case postale 116
Boucherville (Québec)
J4B 5E6

Distribution
Tél. : 450 641-2387
Téléc. : 450 655-6092
Courriel : info@editionsdemortagne.com

Tous droits réservés
Les Éditions de Mortagne
© Ottawa 2010

Dépôt légal
Bibliothèque et Archives Canada
Bibliothèque et Archives nationales du Québec
Bibliothèque Nationale de France
1er trimestre 2010

ISBN : 978-2-89074-922-1
1 2 3 4 5 – 10 – 14 13 12 11 10
Imprimé au Canada

Nous reconnaissons l'aide financière du gouvernement du Canada
par l'entremise du Programme d'aide au développement de l'industrie
de l'édition (PADIÉ) et celle du gouvernement du Québec par l'entremise
de la Société de développement des entreprises culturelles (SODEC)
pour nos activités d'édition. Gouvernement du Québec – Programme
de crédit d'impôt pour l'édition de livres – Gestion SODEC.

Membre de l'Association nationale des éditeurs de livres (ANEL)

À mon père,
exemple de dévouement, de
débrouillardise et de foi
devant les aléas de la vie.

Parce que grâce à toi l'odeur
de l'encre, celles du papier
fraîchement coupé et d'un
livre neuf sont, pour moi,
synonymes d'amour et de
sécurité.

Remerciements

Mes premiers remerciements vont à l'homme de ma vie sans qui cette extraordinaire aventure ne serait pas possible. Merci pour ton soutien. Merci pour avoir osé prendre toute la responsabilité de notre bien-être économique afin de me permettre de vivre cette année à fond. Merci surtout pour les nombreux casse-têtes logistiques que tu traverses sans te plaindre.

Merci à mes parents pour leur très grande disponibilité auprès de mes enfants ; sans eux, nombre de Salons du livre, rencontres et conférences ne seraient pas possibles !

Merci à Chloé et à Carolyn ; sans leur aide, leur œil avisé et leur persévérance, le monde de Lénacie ne serait pas ce qu'il est.

Merci aux « demoiselles de Mortagne » pour leur soutien et leurs réponses à mes nombreuses questions.

Merci à mes amis qui m'encouragent sans cesse.

Et le plus important, un MERCI très spécial à tous mes lecteurs qui me poussent toujours plus loin en voulant le tome 3 alors que le deuxième est encore sous presse.

Table des matières

1

C'est un départ

Absorbée par ses pensées, Marguerite marchait tranquillement dans l'allée principale du collège qu'elle fréquentait depuis déjà trois ans. Tout en se dirigeant vers chez elle, Marguerite ne put s'empêcher de sourire en songeant aux vacances qui étaient sur le point de débuter et à son départ imminent pour Lénacie. À ses côtés se trouvaient ses deux meilleures amies, qui semblaient incapables de cesser de jacasser, excitées qu'elles étaient à l'idée de pouvoir enfin profiter de quelques mois de liberté, ô combien mérités !

– Es-tu certaine que tu ne pourrais pas repousser ton départ d'une semaine ou deux, Marguerite ? demanda Claudia, l'air déçu.

– Oh oui ! renchérit Marie. Réfléchis, Maggie... Tu ne peux pas manquer *la* fête de

Joannie. Tout le monde y sera. Et, tout le monde, ça comprend évidemment le *beau* Olivier !

Marguerite sourit de plus belle. Comme elle était souvent dans la lune, ses amies s'étaient mis dans la tête qu'elle avait le béguin pour Olivier LeFrançois. En fait, lors de ses nombreux moments d'égarement, Marguerite était loin de penser aux garçons comme le croyaient fermement ses deux camarades. Elle songeait plutôt à sa seconde famille, celle qu'elle avait dû se résoudre à quitter à la fin de l'été dernier et qui se trouvait à des kilomètres d'ici..., sous l'eau, à des profondeurs inimaginables...

C'est que l'année précédente, la vie de Marguerite avait singulièrement basculé lorsque ce qui se voulait un simple voyage au bord de la mer avait pris une tournure inattendue. Elle avait eu la surprise de sa vie en apprenant qu'elle appartenait au peuple des mers du nord. Ce peuple de sirènes vivait au sein du royaume de Lénacie, au fond de l'océan, et gouvernait l'océan Atlantique Ouest, qui s'étendait du 10e au 60e parallèle. Aussi étonnant que cela puisse paraître, Marguerite avait découvert qu'elle était une *syrmain*, c'est-à-dire qu'elle avait la possibilité de vivre aussi bien sur terre avec une forme humaine que dans l'océan en tant que sirène. Mais ces surprenantes révélations ne représentaient que la pointe de l'iceberg. Elle n'était pas une syrmain ordinaire. Eh non ! Cela aurait été trop simple, pensait-elle souvent. Marguerite et son frère Hosh étaient les enfants de la souveraine Una qui régnait sur le royaume de Lénacie aux côtés de son jumeau, Usi. De par leur naissance et leur rang, Marguerite et Hosh étaient appelés à entrer en compétition avec cinq autres couples de jumeaux susceptibles de remplacer les souverains actuels dans deux ans. Le couple qui réussirait le mieux les épreuves et les stages serait couronné. Jusqu'ici, Marguerite et Hosh avaient franchi la première série d'épreuves avec succès et ils devraient se soumettre à la seconde dans une semaine. Nul besoin de mentionner l'état d'agitation dans lequel se trouvait l'adolescente !

Pour les humains, le monde des sirènes faisant systématiquement référence à un univers imaginaire, on se moquerait de la jeune fille, si elle se mettait à divulguer à son entourage des informations sur cette communauté. On lui dirait assurément d'écrire un roman fantaisiste ! Aussi, Marguerite n'avait révélé à ses amies que sa rencontre avec sa famille naturelle. Elle leur avait habilement fait croire que, les vacances venues, elle devrait filer rejoindre les siens pour les connaître davantage et tenter de rattraper les années passées loin d'eux. L'adolescente leur avait dit qu'ils habitaient une île du territoire du Nunavut, situé dans le Grand Nord canadien. Cet éloignement expliquait pleinement la difficulté de la contacter, mais aussi la blancheur de sa peau lors de la rentrée scolaire. Certes, tous ces mensonges ne lui plaisaient guère... Chaque fois qu'elle devait ajouter un élément au subterfuge, les remords la gagnaient inévitablement. Marguerite s'en voulait de mentir à ses meilleures amies. Cependant, elle n'avait pas le choix ! Que feraient les humains s'ils apprenaient l'existence des sirènes et d'un lieu comme Lénacie ? Ils tenteraient vraisemblablement de l'exploiter et sa famille deviendrait une attraction touristique. Le secret entourant l'existence du monde des sirènes devait à tout prix être protégé. À cette fin existaient des moyens de défense très ingénieux et extrêmement puissants. Si on apprenait que Marguerite avait révélé son secret à quelqu'un sans en avoir eu l'autorisation au préalable, son pouvoir de transformation lui serait retiré. Affichant une mine navrée, l'adolescente leur répondit :

— Je sais, j'aimerais beaucoup aller à cette fête avec vous deux, mais mon avion part très tôt demain matin. Je ne peux absolument pas le manquer.

— Zut ! soupira Claudia, maussade. Tu vas aussi manquer mon anniversaire et la foire du mois d'août. Et pourquoi ? Pour aller passer l'été dans une région où le sol ne dégèle jamais ! Tu es bien la seule personne que je connaisse qui préfère le froid et le néant aux festivals et surtout aux chauds rayons du soleil !

– Tu exagères, rigola Marguerite. Il fait quand même un peu plus chaud que ça, surtout en plein été. Et puis, tu oublies que je désire vraiment connaître davantage ma famille biologique.

– Tu crois qu'il y aura des garçons intéressants ? s'enquit aussitôt Marie, souriante.

– Je ne sais pas, rit Marguerite. Mais une chose est sûre, le Nunavut, c'est un peu loin pour avoir un petit ami !

– Ouais, tu as raison. Bon, c'est notre autobus qui arrive. Surtout, passe de belles vacances et envoie-nous quelques photos !

Sur ce, les trois amies se firent une dernière accolade. Puis Claudia et Marie prirent place dans l'autobus pendant que Marguerite continuait son chemin à pied. Elle en aurait pour une bonne heure avant d'arriver chez elle, mais elle tenait à prendre son temps afin de profiter au maximum du soleil de juin. Elle savait pertinemment que celui-ci lui manquerait lorsqu'elle se retrouverait au fond des mers.

Arrivée chez elle, elle acheva de préparer minutieusement son gros sac à dos hydrofuge. Elle y mettait toutes les choses qui lui avaient manqué l'été précédent, comme une boussole fonctionnant sous l'eau et une montre de plongée. Elle avait reçu ce cadeau de ses parents à Noël. Elle apportait également quelques présents pour son frère et ses amis, qu'elle avait achetés en compagnie de sa mère adoptive. Marguerite trouvait son sac un peu lourd, mais son poids serait grandement réduit dès qu'elle plongerait dans l'eau salée. À cette seule pensée, elle ressentit un agréable fourmillement dans les jambes, comme quand celles-ci se transformaient en queue.

Marguerite revint sur terre assez rapidement, lorsque, tel un coup de vent, sa sœur Justine pénétra dans sa chambre sans se donner la peine de frapper. Elle avait eu huit ans au cours de l'hiver et elle se considérait maintenant assez vieille pour accompagner sa sœur aînée partout où elle allait. Elle n'acceptait donc pas très bien l'idée que Marguerite parte en vacances sans elle.

– Maman dit que tu dois aller la voir, lui annonça-t-elle d'emblée. J'imagine que vous allez ENCORE devoir aller magasiner, ajouta-t-elle avec envie tout en fixant le sac de Marguerite.

Pour toute réponse, Marguerite lui adressa un sourire contrit et quitta la pièce. S'il lui était pénible de mentir à ses amies, ça l'était doublement lorsqu'il s'agissait de faire la même chose à l'endroit de ses deux jeunes sœurs. Pourtant, elle n'avait pas le choix. À la suite d'une autorisation royale, elle avait obtenu le droit de révéler à ses parents adoptifs qu'elle était une syrmain, mais le privilège s'arrêtait là. Ses sœurs devaient être tenues à l'écart de sa nouvelle vie, et ce, à tout jamais. L'adolescente avait donc dû se contenter de leur annoncer qu'elle retournait sur l'île où résidait sa famille biologique. Elle leur avait néanmoins parlé de son frère en omettant quelques légers détails, notamment le fait qu'il était né avec une queue de poisson à la place des jambes. Sa sœur Ariane l'avait tellement questionnée sur sa vie là-bas que Marguerite avait dû se documenter sur le sujet, s'inspirant, entre autres, de l'île de Baffin, qui fait partie du Nunavut et de l'Islande, située dans le même parallèle. Elle avait emprunté à la bibliothèque plusieurs livres sur la vie insulaire afin d'être en mesure de décrire certaines réalités comme l'aspect des plages, les animaux terrestres et marins, le climat ainsi que l'architecture des habitations.

– Tu voulais me parler, maman ? demanda-t-elle, en entrant dans la chambre de ses parents.

– Oui, ma puce. Regarde ce que j'ai préparé pour ta mère biologique, dit-elle en désignant un livre sur sa table de chevet.

Marguerite s'empara du livre et le feuilleta. Les pages avaient été soigneusement plastifiées et sur chacune d'elles étaient imprimées des photos de Marguerite depuis le jour de son adoption. La dernière avait été prise quelques semaines auparavant, à l'occasion de son quinzième anniversaire. On pouvait y voir ses parents, ses sœurs ainsi que ses deux meilleures amies, Claudia et Marie.

– Penses-tu qu'il te reste un peu de place pour l'emporter ? l'interrogea Cynthia.

– J'en trouverai, murmura Marguerite, visiblement touchée par le geste de sa mère.

Marguerite savait que Cynthia faisait de gros efforts pour accepter l'idée que sa « plus vieille » allait s'absenter tout l'été. Quelques soirs auparavant, elle avait justement surpris une conversation entre ses parents. Cynthia pleurait. La seule idée qu'il puisse arriver quelque chose à Marguerite sans qu'elle ait la possibilité d'intervenir l'angoissait énormément et son sentiment d'impuissance semblait croître de jour en jour. Marguerite s'était félicitée d'avoir délibérément omis certains détails concernant ses nombreuses péripéties de l'été précédent.

– Pourquoi les pages sont-elles comme ça ? s'intéressa Justine qui venait d'entrer et qui passait sa main sur les pages plastifiées.

– Pour... les protéger au cours du voyage..., bredouilla Cynthia.

– Maman, tu penses que l'an prochain, je pourrais aller avec Maggie ? s'enquit Justine pour la centième fois.

– Je te rappelle que tu n'as pas été invitée par les parents biologiques de Marguerite, objecta patiemment Cynthia, et tant qu'une telle invitation n'arrivera pas, on n'abordera pas la question. Maintenant, laquelle de vous deux peut filer chez M. Guy chercher du pain pour le souper ?

Marguerite se porta spontanément volontaire, prit l'argent que sa mère lui tendait et partit sur-le-champ.

M. Guy était aussi un syrmain. Marguerite l'avait appris tandis qu'elle s'apprêtait à quitter le royaume de Lénacie à la fin de l'été dernier. Sur terre, il exerçait le métier d'épicier... mais sous l'eau, sa profession était celle de gardien. Il avait pour mission de veiller sur les Enfants de l'Eau jusqu'à ce qu'ils soient suffisamment matures pour qu'on leur révèle leur origine.

C'était une responsabilité très importante et hautement valorisée au royaume de Lénacie. M. Guy veillait donc sur Marguerite depuis qu'elle était toute petite en s'assurant, entre autres, que jamais elle n'entre en contact avec de l'eau de mer avant l'âge de quatorze ans.

Marguerite l'aimait bien. Elle s'était souvent arrêtée à son épicerie au cours des derniers mois. Normalement, il aurait été risqué de parler du royaume, mais parfois, lorsqu'il y avait très peu de clients, M. Guy lui faisait part des dernières nouvelles à mots couverts. C'est à nouveau avec cet espoir qu'elle marcha jusqu'au coin de la rue et entra chercher le pain demandé.

La chance lui sourit. Il n'y avait qu'une cliente dans la boutique. Marguerite prit son temps, attendant que la clochette d'entrée signale le départ de celle-ci. Elle se dirigea alors vers le comptoir, un sourire rayonnant aux lèvres.

– Bonjour, M. Guy !

– Bonjour, Marguerite. Es-tu prête pour le grand jour ?

– Plus que prête ! Ça fait des mois que j'attends ce moment.

— Il te faudra être prudente cette année, l'avertit gravement M. Guy. Les dernières nouvelles que j'ai reçues sont inquiétantes. Par trois fois dans le dernier mois, des sirènes ont mystérieusement disparu alors qu'ils étaient à l'extérieur de la barrière de protection de la cité. Peut-être ces huit sirènes se sont-ils simplement perdus, mais malheureusement, la présence d'un prédateur est aussi possible.

— Ne vous inquiétez pas. Je ferai attention et je resterai près de Gabriel, promit la jeune fille.

* *
*

Le lendemain matin, Marguerite se leva avant l'aurore et se dirigea vers la cuisine afin de profiter d'un dernier déjeuner en compagnie de ses parents. Ceux-ci semblaient l'attendre depuis un bon moment déjà et ils lui sourirent tendrement. Gaston paraissait encore plus nerveux que sa femme et, tout au long du repas, il multiplia les gestes inutiles afin de tromper l'attente.

— Bon ! déclara-t-il finalement. Nous devons partir si nous ne voulons pas arriver en retard à l'aéroport.

Il avait été convenu que Cynthia ne les accompagnerait pas, afin de rester auprès d'Ariane et de Justine, trop jeunes pour se garder seules. Marguerite embrassa tendrement sa mère et la supplia de ne pas s'inquiéter pour elle. Puis elle sortit de la maison, en tentant de dissimuler ses propres émotions. En effet, quoiqu'elle fût fébrile à la seule pensée de retrouver bientôt le monde de la mer, elle savait que sa famille sur terre finirait inévitablement par lui manquer.

Gaston et elle arrivèrent à l'aéroport de Montréal près d'une heure plus tard. Après avoir repéré le guichet de sa compagnie aérienne, Marguerite enregistra son billet et ses bagages. Ils se dirigeaient vers la porte d'embarquement lorsqu'elle aperçut M. Guy, Pete et Gab, ses gardiens habituels. Marguerite entreprit aussitôt d'aller les rejoindre pendant que son père, quelque peu surpris de constater la présence de l'épicier, la suivait avec un certain décalage. Il est vrai qu'il ignorait que M. Guy était l'un des gardiens de sa fille. Il salua néanmoins les trois hommes d'un air sévère. C'est entre leurs mains qu'il remettait son aînée. Il leur recommanda de veiller sur elle comme sur la prunelle de leurs yeux. Sur ces indications typiquement paternelles, Marguerite rougit, à la fois rassurée et gênée.

– À dire vrai, je ne pars pas avec eux, annonça M. Guy à Gaston. Je ne suis ici qu'à titre de chauffeur désigné. Cependant, soyez rassuré, M. Duguay, Gabriel et Pete sont d'excellents syrmains. Leur sens vibratoire est remarquablement bien développé et ils peuvent l'utiliser aussi bien sur terre qu'en mer, ce qui est plutôt rare, je l'avoue. Marguerite sera entre bonnes mains pour effectuer son voyage jusqu'à Lénacie. D'autant plus que, d'après les dernières nouvelles que j'ai reçues du Cap'tain Jeff, ses alliés naturels suivent déjà le voilier de près. Ils savent qu'elle se joindra à eux bientôt. J'ignore comment ils l'ont appris, mais chose certaine, ils le savent.

Marguerite sourit gentiment à son père en songeant qu'il n'avait peut-être pas compris toutes les paroles de M. Guy. Elle le serra très fort dans ses bras, l'embrassa et lui dit, à lui aussi, de ne pas s'inquiéter. Elle reviendrait en un seul morceau dans deux mois. Sur ce, décidée, elle s'empara de son sac de voyage et suivit Gab et Pete vers les portes d'embarquement.

*   *

*

Après un vol de près de cinq heures, ils atterrirent à Cancun où un autobus les conduisit à Puerto Morelos. Le soleil faisait beaucoup de bien à Marguerite. Sa chaleur était si réconfortante... Ce n'était cependant rien à côté de ce qu'elle ressentit lorsqu'elle vit poindre la mer à l'horizon. À cet instant, elle eut l'impression de s'élever dans les airs comme si elle était aussi légère qu'une plume. Gab la regarda à ce moment-là, leurs yeux se croisèrent et elle lui sourit. Une communication profonde s'établit entre eux. Ils vibraient au même rythme : celui de l'océan.

Malgré le comprimé d'Eskamotrène ingéré quelques heures auparavant, Marguerite préféra se tenir à distance de l'eau de mer. Elle prit sagement la direction du quai en s'assurant de suivre Gab et Pete de très près. Pourtant, elle n'avait qu'une envie : sauter à l'eau. Elle marcha d'un pas allègre vers le magnifique voilier du Cap'tain Jeff en se répétant que l'occasion se présenterait bien assez tôt.

La première personne qu'elle aperçut sur le voilier la ramena bien vite les deux pieds sur le quai. C'était Jack, son cousin. Il lui tournait le dos et était affairé à sermonner un membre de l'équipage qui, visiblement, ne manipulait pas ses bagages assez délicatement à son goût. Constatant qu'il venait de perdre l'attention de l'employé en question au profit de quelqu'un d'autre, il se retourna et dévisagea sa cousine de la tête aux pieds de son éternel air hautain.

Pour tout accueil, elle eut droit à cette phrase digne d'un scénario dramatique :

– Bon, j'imagine qu'on va ENFIN pouvoir partir !

Au même moment, les vives salutations du Cap'tain Jeff résonnèrent depuis le pont supérieur, ce qui dispensa Marguerite de répondre à son cousin. Cap'tain Jeff dévala la passerelle et avança tout sourire vers la jeune fille.

– Bien le bonjour, ma p'tite mam'zelle ! dit-il, le visage rayonnant. J'espère que vous avez fait bon voyage ! Vot' cousin Jack est arrivé il y a à peine une heure, continua-t-il, les yeux pétillants. Nous n'attendons plus que la marée montante pour mettre les voiles. Vous devez avoir bien hâte de retrouver vot' maman. Venez, venez..., insista-t-il.

Les nouveaux arrivants montèrent sur le trois-mâts et Marguerite suivit joyeusement Cap'taine Jeff qui, tout en faisant la conversation à ses invités, aboyait ses ordres à l'équipage. Sa chaleureuse présence avait complètement fait oublier à Marguerite le pitoyable accueil de son cousin. Gab, dont les mâchoires s'étaient instantanément crispées en voyant Jack, s'abstint de tout commentaire. Il suivit Marguerite jusqu'à sa cabine et s'installa dans celle qui y était contiguë.

En début de soirée, Marguerite put s'asseoir sur le pont et profiter de quelques minutes de calme. Elle observait sereinement l'océan tout en s'enivrant de son odeur salée qui lui avait tant manqué. Le voilier progressait à vive allure. Tout à coup, une série de petits cris stridents provenant de la mer attirèrent son attention. Elle les reconnut instantanément et c'est avec un sourire joyeux qu'elle se précipita vers le bastingage. Quel bonheur ! Une trentaine de dauphins s'agitaient fébrilement autour du voilier. Au cours de l'hiver, Marguerite avait appris à en reconnaître les diverses espèces en consultant de nombreux livres sur le sujet. Ceux-ci, avec leur dos sombre, leur corps fuselé et leur tête longue et étroite, étaient des dauphins Sténo. Ils bondissaient régulièrement hors de l'eau et semblaient vouloir faire la course avec le trois-mâts. Marguerite pouffa en les regardant faire. Elle avait une envie irrésistible de sauter à l'eau, mais elle savait pertinemment que ce serait une erreur. Sur le voilier, tout l'équipage était composé de syrmains et elle ne risquait rien. Par contre, s'il fallait qu'un autre bateau passe par là et que des humains découvrent son secret, ce serait une catastrophe qui aurait de graves répercussions.

Les matelots s'étaient rassemblés sur le pont, de même que Jack qui, feignant de ne pas s'intéresser aux dauphins, semblait soudain fasciné par l'extrémité de son soulier gauche. L'équipage était surpris de voir tous ces dauphins si près du voilier. Gab et le Cap'tain Jeff s'approchèrent de Marguerite.

– J'viens d'consulter mes écrans radars, lui dit-il, et j'pense ben que t'as une trentaine de minutes si tu veux faire trempette et si tes petits amis t'aident à suivre le rythme, car j'ai pas vraiment le temps de ralentir la vitesse de mon voilier.

– Sans problème ! s'enthousiasma-t-elle, laissant paraître le bonheur qui l'envahissait.

D'un seul mouvement, sans une once d'hésitation, l'adolescente plongea dans le vide. Au contact de l'eau de mer, elle ressentit avec délice cet étrange mais doux picotement dans ses jambes. Glissant ses mains le long de son corps, elle apprécia l'agréable sensation procurée par le toucher des écailles qui couvraient maintenant sa peau. Elle garda ensuite la tête sous l'eau et plongea vers les profondeurs. La sensation d'asphyxie qu'elle appréhendait arriva d'un coup. Elle sentit ses poumons se vider de leur air et la panique s'empara de son cerveau. Au même moment, la peau derrière ses oreilles et sur sa nuque se modifia. Ses branchies venaient d'apparaître et filtraient l'eau de mer afin de fournir à son corps tout l'oxygène dont il avait besoin. Elle était maintenant libre et en parfaite harmonie avec ce monde en mouvement. *Son* monde...

En quelques secondes, six dauphins l'entourèrent. Rapidement, Marguerite sut reproduire les mouvements ondulatoires qu'elle avait mis des jours à apprendre l'été précédent. Elle s'agrippa à la nageoire dorsale d'un des delphinidés pendant que celui-ci prenait de la vitesse. Il perça la surface de l'eau en entraînant Marguerite avec lui. L'assurance et l'agilité des mammifères aidèrent la jeune fille à nager en parfaite symbiose avec eux. Juste au bon moment, de son propre chef, elle donna un formidable coup de queue dans l'eau qui la propulsa dans les airs. Elle n'eut que le temps d'entendre le « hoooooooooo » admiratif du Cap'tain Jeff avant de replonger dans l'océan.

Elle exécuta un nouveau saut hors de l'eau, mais cette fois, en tentant de maintenir une vitesse qui lui permettrait d'accompagner le bateau. Elle fut surprise de constater qu'elle y parvenait parfaitement. Le vert-turquoise et le mauve-améthyste de sa queue scintillaient, telles des pierres précieuses sous les rayons du soleil couchant. Au bout de quelques minutes, ce n'était plus une trentaine de dauphins qui nageaient avec elle mais plutôt une cinquantaine ! Marguerite recevait maintenant en permanence de petits coups de rostres, comme si tous souhaitaient la saluer. Elle ne se rappelait pas avoir jamais connu une telle félicité. L'océan faisait partie d'elle et elle de lui. Après un bref regard en direction du voilier, l'adolescente remarqua que le remonte-sirène venait d'être descendu dans l'eau. Elle monta sur le pont au moment même où une trentaine de dauphins communs venaient se mêler à ceux déjà présents. La jeune fille, subjuguée par la scène, était remontée sur le trois-mâts. Tous la regardaient à la fois avec étonnement et respect.

– Ma p'tite mam'zelle, v'là ben quinze ans que je n'ai pas vu un tel spectacle ! lui dit avec émotion le Cap'tain Jeff. Vous êtes ben la digne fille de vot' père !

Marguerite savait que le commandant faisait référence au spectacle qui avait suivi la mort de son père sur ce voilier... Cap'tain Jeff se rappelait chacune des secondes de ce terrible événement. Des centaines de dauphins avaient envahi les eaux environnantes et salué les derniers instants du père de la jeune fille. Très émue par la remarque du capitaine, Marguerite le remercia et se leva pour admirer à nouveau la scène qui se déroulait sous ses yeux.

Une centaine de dauphins suivirent le voilier pendant près d'une heure. Puis, le cortège disparut peu à peu. Deux jours plus tard, tandis que le soleil se couchait, ils n'étaient plus qu'une vingtaine à entourer le voilier.

– J'imagine qu'on va les avoir dans les jambes jusqu'au royaume ! grogna Jack en arrivant derrière elle.

– Je suppose..., lui répondit Marguerite en continuant de regarder l'océan.

– On m'a dit qu'un été en mer n'avait pas suffi à t'apprendre comment te défendre seule, déclara nonchalamment son cousin en se rapprochant de Marguerite et en s'appuyant contre le bastingage.

– Quoi ?!

– Contrairement à tous les syrmains de plus de quatorze ans, il paraît que tu avais encore besoin de gardiens pour assurer ta sécurité cet hiver ? continua-t-il. Or, la crevette qui te sert de gardien principal ne semble pas au mieux de sa forme. Je ne voudrais pas qu'il t'arrive quelque chose sur le chemin du retour à Lénacie...

– Ne t'inquiète pas pour moi, cher cousin ! Contrairement aux fausses informations qu'on t'a transmises, je sais très bien me défendre en mer et, comme tu as pu le remarquer depuis qu'on a quitté la terre ferme, je contrôle aussi parfaitement mes alliés naturels. Pour ce qui est de Gab, si tu connaissais les siens, je pense que tu t'en ferais davantage pour ta propre personne.

– Que veux-tu dire ? demanda Jack.

Marguerite, qui avait pris soin de l'observer tout en lançant sa dernière remarque, put constater, malgré la pénombre, que son teint avait légèrement pâli.

– En route vers Lénacie, reste près du groupe, c'est tout ! l'avertit Marguerite, mine de rien, avant de s'éloigner vers sa cabine.

Honnêtement, elle n'avait pas la moindre idée de ce que pouvait bien être l'allié naturel de Gab, mais la jeune fille n'avait pu résister à la tentation de désarçonner son cousin. Après tout, c'est exactement ce que ce dernier essayait de faire à son endroit.

– Ce qu'il peut m'énerver, murmura-t-elle, exaspérée.

Depuis le début de ce voyage, il avait été tellement désagréable que Marguerite se jura de trouver une excuse pour éviter de revenir en même temps que lui à la fin de l'été.

Le lendemain soir, Marguerite se rendit dans la minuscule salle à manger où se prenaient les repas. La table était mise et Jack y était déjà assis. Il parlait avec un des gardes du royaume et ne cessait de passer sa main dans ses cheveux d'un geste nerveux. L'adolescente s'assit aussi loin de lui que les lieux exigus le lui permettaient. Cap'tain Jeff entra, en grande conversation avec Gab. Bientôt, tous les adultes présents se joignirent à leur discussion et donnèrent leur opinion quant à la nécessité de développer le commerce entre Lénacie et le peuple de sirènes du Grand Nord, par l'intermédiaire des voiliers.

Personne ne remarqua que Jack se levait pour prendre le plateau de boissons que le cuisinier apportait. Ce comportement altruiste si inhabituel attira l'attention de Marguerite, qui observa son cousin du coin de l'œil. Elle le vit déposer le plateau sur une petite table à l'entrée de la salle à manger. Tout en jetant de fréquents coups d'œil dans la direction de Gab, il versa le contenu d'une petite fiole dans une des coupes. Cela n'avait pris que quelques secondes et le flacon avait déjà disparu des mains de Jack. Marguerite, cependant, n'avait rien perdu de la scène et elle ne quitta pas la coupe des yeux. La jeune fille fut à peine surprise lorsque Jack la glissa devant elle, l'air de ne pas y toucher.

Mais, qu'avait-il mis dans son verre ? Quelque chose qui devait la rendre suffisamment malade pour qu'elle ne puisse pas nager jusqu'au royaume ? Eh bien ! Il allait voir de quel bois elle se chauffait !

2

Retrouvailles

Marguerite observait son verre d'un air suspicieux. Dans les films, il y a toujours une plante en pot juste à côté de la personne qu'on veut empoisonner. En une fraction de seconde, le héros peut y verser le contenu de sa coupe. À tout hasard, l'adolescente regarda autour d'elle. Eh non ! « C'aurait été trop facile ! » pensa-t-elle. En fait, elle n'avait jamais vu de plantes sur le voilier. Elle songea qu'il n'y avait qu'une seule pièce qui lui était inconnue. Marguerite se voyait déjà sortir de la salle à manger avec sa coupe pour se rendre dans la cabine de Cap'tain Jeff.

— Bravo pour la subtilité ! marmonna la jeune fille pour elle-même.

— Tu parles toute seule maintenant ? lui lança Gab, qui l'observait depuis un moment.

En levant les yeux vers son gardien, Marguerite remarqua qu'on venait de déposer un poêlon de saucisses fumantes au centre de la table. Cela lui donna une idée... Elle allongea le bras vers le récipient brulant. À peine y avait-elle posé les doigts qu'elle hurla.

– HAAAA, C'EST CHAUD !

Elle retira sa main en la secouant si fortement au-dessus de la table qu'elle heurta « malencontreusement » sa coupe qui se renversa. Ensuite, tout se passa simultanément. Gab se leva d'un bond pour ne pas être éclaboussé. Son voisin de droite agrippa le poignet de la jeune fille et versa un pichet d'eau froide sur sa main. Cap'tain Jeff s'esclaffa :

– Ah ! l'appétit féroce des adolescents !

Pendant ce temps, Marguerite capta le regard courroucé de Jack. Lorsqu'elle lui fit un clin d'œil en souriant, son cousin devint écarlate. Ses mains posées sur la table se crispèrent en même temps que sa mâchoire.

La jeune fille rassura tout le monde. Elle ne s'était pas brûlée sérieusement.

– Rien pour m'empêcher de me rendre à Lénacie, ajouta-t-elle innocemment.

Jack se leva et quitta la salle à manger.

*   *
*

Le lendemain, à l'heure prévue, Marguerite rejoignit les autres passagers sur le pont principal munie de son gros sac à dos. Elle portait une robe rose pâle faite d'une étoffe élastique. Elle se rappelait l'inconfort éprouvé l'été précédent lorsqu'elle était arrivée au royaume vêtue d'une robe de coton qu'elle devait constamment retenir près de son corps sous l'eau. Una, sa mère, lui avait ensuite offert des vêtements fabriqués avec le tissu des sirènes. Ce dernier était résistant, malléable et pratique dans l'océan, mais peu efficace sous les chauds rayons du soleil, puisqu'il durcissait et s'effritait rapidement. Au cours de l'hiver, elle s'était donc appliquée à chercher un vêtement pratique qu'elle pourrait porter aussi bien sur la terre que dans la mer pour le voyage d'aller et de retour. Elle espérait bien avoir trouvé.

Ils étaient douze à partir pour Lénacie. Au signal du capitaine, ils sautèrent tous à l'eau. Lorsque sa magnifique queue remplaça ses membres inférieurs, la jeune fille resta la tête sous l'eau afin que ses branchies apparaissent à leur tour. Ce n'était décidément pas une sensation très agréable de sentir ses poumons se vider de leur air. Marguerite se demanda à quel moment s'estomperait la panique qu'elle éprouvait chaque fois. Lorsque son corps filtra l'eau fraîche de l'océan, elle se permit un dernier coup d'œil à la surface afin de saluer Cap'tain Jeff. Puis elle replongea, prenant sa place parmi les autres.

Pour plus de sécurité, Pete avait manœuvré afin que les aspirants à la couronne se retrouvent au milieu du groupe, mais la trentaine de dauphins qui entouraient encore le bateau étaient si excités de revoir Marguerite qu'il dut se résoudre à la laisser les rejoindre. Rien ne pouvait faire plus plaisir à la jeune fille que de sentir ses alliés naturels lui donner de petits coups de rostre et passer tour à tour leur nageoire dorsale sous ses mains.

Ils nagèrent ainsi quelque temps, puis lorsque l'adolescente plongea vers les profondeurs, les dauphins durent la laisser continuer seule. En effet, en tant que mammifères, ils ne pouvaient s'éloigner de la surface où ils puisaient leur oxygène. Pendant près de trois heures, le groupe descendit lentement afin que les corps s'habituent à la pression de l'eau. Soudain, Marguerite entendit le chant de repérage des sirènes. Les nageurs se trouvaient encore loin de leur destination, mais elle pouvait désormais se diriger d'elle-même. Perceptible à des kilomètres de la cité, ce chant permettait aux sirènes et aux syrmains de retrouver sans difficulté leur chemin à travers le royaume.

Marguerite nageait de façon constante tout en essayant d'économiser ses forces en vue du long parcours qui lui restait à faire. Quoiqu'elle fût bien entourée, le paysage était plutôt monotone. Les bancs de poissons multicolores qui affleuraient avaient disparu et le fond marin était encore loin. Entre les deux, on rencontrait rarement un être vivant. La température de l'eau chutait sans cesse et, malgré sa vision qui s'adaptait vite et bien, Marguerite ne voyait que le vide ainsi que les différents courants marins devant elle.

Ils nagèrent pendant encore deux heures. Le chant de repérage était de plus en plus audible. Cependant, une autre heure s'écoula avant que Marguerite puisse distinguer les contours de la cité. Son territoire occupait un peu plus de trois cents kilomètres carrés – quasiment la taille de la ville de Montréal.

Lorsque Marguerite eut franchi le dôme protecteur, le chant des sirènes s'estompa et elle put apprécier la vue de SA belle cité. La ville, d'une superficie d'environ quatre-vingts kilomètres carrés, était entièrement bordée d'une barrière de corail. Plus loin, la jeune fille observa les champs d'algues, tel le clipse, ainsi que les champs de mollusques et de légumes marins. Un microclimat généré à l'intérieur de la cité permettait à une végétation unique et abondante de proliférer. Complètement à droite, bien encastré dans le roc, s'élevait un véritable palais avec de multiples tours et des entrées sur différents étages. Le château dominait la ville qui, à son tour, encerclait le parc.

Comme à sa première visite, l'adolescente fut surprise de constater l'activité intense qui régnait dans la ville. Elle observa les sirènes qui nageaient ou se promenaient en char tiré par des dauphins à diverses hauteurs, y compris au-dessus des édifices.

Une délégation de gardes entoura bientôt Marguerite, Gab, Pete et Jack. Ils furent ainsi conduits en ligne droite jusqu'au palais tandis que le reste du groupe prenait une autre direction. Marguerite avait maintenant des papillons dans le ventre à l'idée de retrouver bientôt son jumeau Hosh dont elle s'était beaucoup ennuyée et, bien entendu, sa mère biologique, la souveraine Una.

*   *

*

Bien escortés, Marguerite et Jack pénétrèrent dans le château en empruntant l'entrée centrale. Il fallut un seul regard à Marguerite pour tomber à nouveau sous le charme de l'éclairage des couloirs. Des poissons phosphorescents nageaient à différentes hauteurs alors que d'autres semblaient ancrés dans la pierre. Il se dégageait d'eux une douce lumière qui éclairait les innombrables et merveilleuses scènes marines gravées sur les murs. Au bout de l'immense couloir où pouvaient facilement nager six sirènes de large et autant de haut, les nouveaux arrivants se retrouvèrent face à un embranchement en forme de Y. Le passage de gauche menait aux appartements du roi Usi et celui de droite, à ceux de la reine Una.

Jack, qui les avait devancés, prit rapidement le tunnel de gauche sans saluer sa cousine. Marguerite haussa les épaules, trop contente d'être débarrassée de son cousin. Elle s'engagea dans le couloir de droite, de plus en plus excitée à l'idée de retrouver sa mère et son frère. Pete et Gab l'accompagnèrent. Même si le palais pouvait se comparer à un labyrinthe par son abondance de corridors et de salles de toutes les tailles, Marguerite empruntait spontanément les bons passages, assurée dans sa démarche et heureuse de se retrouver dans ces lieux familiers.

Elle arriva enfin devant l'entrée de la petite salle d'audience privée de sa mère. Le rideau d'algues s'ouvrit de lui-même et Marguerite comprit qu'elle était attendue. Sa mère se tenait effectivement à quelques pas devant elle. La jeune fille aurait voulu que ce moment s'éternise, tellement elle en avait rêvé toute l'année. Sa mère était d'une beauté exceptionnelle. Elle avait de longs cheveux noirs retenus simplement sur la nuque par un délicat coquillage ; ses yeux étaient aussi verts que ceux de Marguerite et les écailles de sa queue arboraient une douce couleur lilas presque blanche. L'adolescente sentit son cœur battre la chamade et sa poitrine se remplit de bonheur et d'amour à la seule vue de cet être magnifique. Le sourire qu'Una affichait tout en lui tendant les bras trahissait toute la tendresse qu'elle éprouvait pour sa fille.

– Sois la bienvenue, l'accueillit Una d'une voix claire et chaude. Tu as un teint magnifique ! L'année qui vient de s'écouler t'a été profitable, il me semble.

Marguerite laissa son gros sac couler jusqu'au sol et s'apprêtait à répondre à sa mère lorsqu'une tornade entra dans la pièce par une porte dérobée et se précipita sur elle. Sur terre, elle aurait perdu l'équilibre et aurait été renversée, mais comme ils se trouvaient dans l'eau, elle fut propulsée vers l'arrière d'une dizaine de coups de queue. Son frère se dégagea en éclatant de rire.

– Désolé, mais j'avais tellement hâte que tu arrives !

– Moi aussi, j'avais hâte, assura Marguerite en riant à son tour.

– Gabriel, Pete, soyez les bienvenus à Lénacie, dit la reine.

– Merci, Majesté, répondit Gab en exécutant une révérence.

– Je me permets de vous retenir encore un moment pour un entretien privé, enchaîna la souveraine. Ma fille, je te laisse avec ton frère qui attendait avec tant d'impatience ton arrivée. Nous mangerons ensemble ce soir.

Hosh n'attendait que ça. Marguerite récupéra son sac et quitta la pièce avec son frère. Ils se dirigèrent aussitôt vers leur chambre communicante, le sourire fendu jusqu'aux oreilles.

– Quelles sont les dernières nouvelles du royaume ? demanda-t-elle à Hosh qui cherchait à sortir quelque chose d'un amas rocheux dans un coin de sa chambre.

– Céleste est arrivée hier et Pascal, ce matin. Il ne manque que Dave, et la cérémonie d'ouverture des stages aura lieu. Ah ! voilà ! s'exclamat-il en sortant de sa cachette une pieuvre mimic qui avait un tentacule arraché. Il paraît que Jack est arrivé avec toi. Comment est-il ?

– Comme l'an dernier, rétorqua Marguerite, découragée. Je pensais qu'une année sur terre l'aurait peut-être changé, mais il est aussi désagréable qu'avant. Il a passé tout le voyage à traiter les membres d'équipage comme s'il était leur maître, et un bien mauvais maître, crois-moi.

– Hum... On ne peut pas dire que Jessie a beaucoup changé non plus.

– Tu l'as croisée souvent ?

– Le contraire aurait été difficile, rétorqua son frère pendant qu'il nourrissait sa pieuvre de petits crustacés. Même si je préfère de loin prendre soin de mes poissons, j'ai choisi d'assister à tous les soupers officiels et les réceptions, ainsi que de participer aux grandes discussions sur l'avenir du royaume. Jessie est presque toujours là pour se pavaner et peut-être... je dis bien « peut-être », pour en apprendre le plus possible. J'ai donc fait pareil...

– Tu t'es pavané ? rigola Marguerite.

– Espèce de morue…, s'esclaffa Hosh. J'ai essayé d'apprendre sur le terrain et je peux d'ailleurs t'annoncer quelque chose d'extraordinaire.

– Qu'est-ce que c'est ?

– Une invitation vient tout juste d'arriver des mers du sud. Le roi Simon fête son soixantième anniversaire.

– Et mère ira ?

– Les souverains ne sortent jamais de la cité pendant leur règne, c'est trop dangereux. Ils devront envoyer des émissaires.

– Et tu crois que ce sera nous ?

– Il y a des chances, s'enthousiasma Hosh. J'ai cru comprendre que notre présence était sollicitée.

Marguerite se souvint alors de l'avertissement de M. Guy, qui lui avait conseillé de demeurer à l'intérieur de la barrière de protection de Lénacie.

– M. Guy m'a parlé de sirènes qui auraient mystérieusement disparu, glissa Marguerite à son frère.

– Ouais, c'est vrai que huit sirènes qui sont sortis de la cité ne sont jamais revenus. Au début, les autorités se sont inquiétées, mais étant donné qu'il n'y a pas eu de nouvelle disparition depuis, elles ont conclu que ces sirènes sont probablement partis en expédition sans avertir leurs proches.

Marguerite et Hosh passèrent l'heure suivante à se raconter ce qu'ils avaient fait au cours des derniers mois. Chacun avait, à sa manière, travaillé à accroître ses connaissances en vue des prochaines épreuves. Hosh apprit à Marguerite qu'il connaissait maintenant la cité presque aussi bien que le château. Quillo et lui l'avaient parcourue de fond en comble. Il avait aussi poursuivi ses apprentissages à la manière des sirènes, c'est-à-dire que, pendant six mois, il avait assisté à des cours théoriques sur la gestion des ressources de la cité, la géographie des océans, le contrôle de la qualité de l'eau, le maniement d'un trident et la nage athlétique. Puis, durant les quatre autres mois, il avait pu profiter d'un apprentissage-pratique parmi les gardiens du royaume.

Marguerite, pour sa part, avait beaucoup étudié les mœurs de différentes espèces de poissons et des mammifères marins. Elle avait également étudié la géographie des océans telle que les humains la connaissent et elle s'était entraînée pour maintenir une bonne forme physique. Hosh fut très intéressé par le fonctionnement des appareils de musculation utilisés sur terre. Par contre, il se montra sceptique quant à la qualité des enseignements théoriques qu'avait reçus Marguerite.

– Hosh, tu vois les choses de ton point de vue, objecta sa sœur pendant qu'ils se dirigeaient vers la salle à manger d'Una. C'est sûr qu'ici, mes cours de français, de géographie et d'histoire ne peuvent pas me servir beaucoup, mais je pense que les mathématiques, les sciences et le théâtre pourraient nous être utiles. Et puis, réfléchis ! Sur terre, la plupart de tes apprentissages ne seraient pas très profitables non plus.

*   *
*

Comme prévu, ils soupèrent avec leur mère. Celle-ci fut très touchée par le cadeau de Cynthia, qui lui permettait de découvrir la famille terrienne de sa fille. Quant à Marguerite, elle réapprivoisait les goûts si particuliers de la nourriture de l'océan. Au centre de la table, se trouvait le traditionnel pâté de clipsa. Puis, tout autour, différentes carapaces de tortue contenaient des salades d'algues, des œufs de poisson, des rouleaux de peau d'anguille et diverses variétés de chair de poisson.

Ils parlèrent longtemps. Marguerite raconta son hiver sur terre. Hosh rigola en voyant sa sœur s'endormir au milieu de sa description d'un micro-ondes. Avec un sourire, Una se leva et embrassa tendrement chacun des jumeaux. Elle regarda intensément Marguerite, prit l'album photo et se dirigea vers ses quartiers. Les deux adolescents se rendirent ensemble à leur chambre respective et se souhaitèrent simplement bonne nuit. Une fois seule, Marguerite observa les meubles qui composaient sa chambre. Rien n'avait changé depuis l'été dernier. Une table, une coiffeuse et une armoire faites d'un bois rougeâtre étaient fixées aux murs à différentes hauteurs. Une chaise en coquillage géant était placée devant la coiffeuse. La jeune fille regarda avec découragement les éponges et les coquillages déposés sur le meuble. Tant pis, sa toilette attendrait au lendemain. Il n'y eut que la racine de Java qui trouva grâce à ses yeux. Elle la saisit et la passa sur ses dents pour les nettoyer.

Dans un coin de la pièce, se trouvait un hamac que les sirènes appelaient assur. Marguerite y prit place et s'endormit rapidement. La journée avait été physiquement éreintante et forte en émotions.

* *
*

Le lendemain matin, après le déjeuner, Marguerite et Hosh sortirent du palais. Hosh tenait à faire connaître à Marguerite certains coins de la cité qu'il avait découverts avec Quillo au cours des derniers mois. Marguerite éprouvait une fascination sans cesse renouvelée pour le monde sous-marin. Tout n'y était que mouvement et c'est avec un réel abandon qu'elle se laissa guider par son frère. Après bien des détours, ils aboutirent en face du centre de soins.

– C'est magnifique ! s'exclama Marguerite en admirant le parc.

L'été précédent, le terrain était désert. Marguerite avait eu l'idée de le transformer en parc dans le cadre des premières épreuves d'Alek. Les jumeaux Pascal et Pascale, son frère Hosh et elle avaient conçu les plans d'aménagement et sollicité l'aide financière d'un homme d'affaires de la cité, M. Brooke. Les jumeaux pouvaient maintenant contempler un parc où l'eau était fraîche et saine. Le sol était couvert de coraux jaunes et rouges. De magnifiques algues pourpres et des anémones se faufilaient entre eux. De plus, des algues géantes et des pliés avaient déjà atteint une taille respectable en raison des bons soins qu'ils recevaient. Le parc pour enfants impressionna Marguerite. Il était situé plus près du centre de soins de longue durée que de l'hôpital et il contenait des anneaux et des labyrinthes sur trois niveaux. Un espace pour pique-niquer avait été aménagé en plein cœur du parc et était traversé par un courant chaud. Enfin, au sol, Marguerite remarqua que quelques sirènes âgés s'affairaient dans un jardin communautaire.

– C'est une très belle réussite, ce projet, entendit-elle derrière elle.

L'adolescente se retourna d'un vigoureux coup de queue et bondit dans les bras de Céleste, sœur du meilleur ami de son frère. Le couple de jumeaux n'avait pas beaucoup changé. Céleste, une syrmain, avait une queue d'un beau rose pâle. Elle incarnait l'ordre. Quillo, lui, était tout l'opposé. Le dernier été n'avait pas été facile pour ces jumeaux antagonistes. Ils avaient dû apprendre à se connaître et à s'entendre malgré leurs différences criantes. À voir leur sourire aujourd'hui, Marguerite songea qu'ils étaient sur la bonne voie.

– Bonjour, Marguerite ! lança Quillo d'un air réjoui. Comment vas-tu ? C'était vraiment un beau projet, continua-t-il sans attendre sa réponse. Il n'y a que le nom qui est un peu bizarre. Doçura, qu'est-ce que ça veut dire ?

— Je n'en ai pas la moindre idée ! Selon notre entente avec M. Brooke, c'est lui qui devait choisir le nom du parc, révéla Marguerite.

— Il y a eu une inauguration, continua Hosh. Mère, Pascale et moi étions les invités d'honneur. M. Brooke a fait les choses en grand. Le parc était couvert d'un dôme artificiel et des centaines de poissons tropicaux nageaient partout. Il a demandé à mère d'y pénétrer la première. Elle a trouvé ça superbe. Avez-vous vu Pascal et Pascale ? demanda soudain Hosh à Quillo et Céleste.

— Non, pas encore, répondit Céleste. J'ai su que Pascal était arrivé hier matin. Ils doivent être encore chez eux.

— Et si on allait les rejoindre ? proposa Quillo.

Les quatre amis nagèrent avec empressement jusqu'à la maison en forme d'escargot des jumeaux. Ils descendirent jusqu'à la porte d'algues située tout en bas. Quillo donna une petite pichenette sur la vitre derrière laquelle somnolait un poisson-sonnette. Ce dernier disparut à toute vitesse. Il revint à son poste quelques secondes plus tard, au moment même où le rideau d'algues s'ouvrait sur Safe, la mère des jumeaux.

– Bonjour, les enfants ! Entrez... entrez ! les invita-t-elle avec un sourire rayonnant. Pascal et Pascale se trouvent en haut.

Passé le vestibule, la maison s'ouvrait sur une vaste pièce qui montait jusqu'au haut plafond. Lorsque Pascal et Pascale aperçurent le quatuor, les cris de joie fusèrent et ils bondirent en direction de leurs visiteurs.

Durant presque deux chants de sirène, ils échangèrent des nouvelles sur le royaume ainsi que sur leur hiver sur terre. Pascal et Pascale, toujours bouffons, racontaient anecdote sur anecdote, rivalisant de jeux de mots savoureux. Tous riaient à en avoir mal aux côtes jusqu'à ce que Pascal adopte un ton inhabituellement sérieux pour leur raconter son retour chez lui. Lorsque ses parents adoptifs l'avaient vu revenir le corps couvert d'ecchymoses et dans un état de détresse psychologique, ils avaient cédé à l'affolement et décrété qu'il ne repartirait jamais pour l'océan.

– Après l'épisode des piranhas, j'ai fait des cauchemars pendant des semaines, révéla-t-il.

– Et alors ? Comment as-tu fait pour revenir ? s'informa Hosh, curieux.

– J'ai menti, avoua piteusement Pascal. J'ai dit que maintenant que mon apprentissage était amorcé, je devais retourner dans la cité au risque de tomber gravement malade sur terre.

– Oh ! Pascal ! s'exclama Céleste, déçue.

– C'est tout de même un peu vrai, se défendit celui-ci. Je ne serais plus capable de me passer de ce monde. Avant de rencontrer Pascale, il me manquait quelque chose, mais j'ignorais ce que c'était. Maintenant, je me sens complet, confessa-t-il en souriant à sa sœur. Je suis fait pour vivre ici et même si je ne remporte pas les épreuves, je suis persuadé que mon destin est tracé au milieu de l'océan.

Songeuse, Marguerite trouvait Pascal très chanceux de connaître déjà sa voie. Pour sa part, elle ne savait pas encore si elle souhaitait passer toute sa vie au fond des mers. Elle pressentait que sa famille adoptive lui manquerait drôlement, sans compter le soleil et le vent...

*   *

*

Ce n'est que le surlendemain que Dave arriva enfin. Il surgit chez son père au premier chant du matin et présenta ses respects à Una au cours de la matinée, comme il en avait l'obligation. Marguerite et Hosh, qui avaient eu vent de son arrivée, se tenaient dans la pièce adjacente, tendant l'oreille.

– Un bateau de touristes nous suivait de près, racontait-il en réponse à la question d'Una. Nous avons attendu trois jours en espérant qu'il poursuivrait sa route. Cependant, il ne semblait pas avoir de destination précise et il restait toujours plus ou moins près de nous. Nous ne voulions pas plonger, de peur d'être vus. Le capitaine Smith a été tenté de faire demi-tour par prudence, mais nous avons eu de la chance. En quelques heures, une tempête s'est levée. Nous avons réussi à nous éloigner suffisamment du bateau pour qu'il n'apparaisse plus sur nos radars. Le capitaine nous a enjoints de plonger immédiatement et de descendre en ligne droite aussi vite que se ferait notre adaptation à la pression. Nous avons nagé toute la soirée et toute la nuit.

– Bien. Je parlerai au capitaine Smith. Tu n'as pas à t'inquiéter de ton retard, je m'adresserai également aux juges.

– Merci, Majesté, dit Dave, visiblement soulagé.

Il salua la reine et nagea à reculons vers la sortie.

Marguerite regarda son frère, surprise.

– Je ne savais pas qu'il y avait d'autres capitaines qui conduisaient les sirènes.

– Ils sont cinq avec Cap'tain Jeff, répondit Una qui venait de les rejoindre dans la pièce adjacente. Vous avez les oreilles fort longues tous les deux.

– Mère, comment se fait-il que le voilier du capitaine Smith ait été suivi ? demanda Hosh, faisant fi de la remarque d'Una.

– Ce n'est rien, le rassura la reine en balayant son inquiétude d'un geste de la main. Seulement le hasard...

À ce moment, la première sirim d'Una entra et leur rappela que le tailleur de pierres les attendait pour un portrait de famille. La reine sortit la première de la pièce.

– Hosh ! murmura Marguerite pour retenir son frère, tu sais comme moi que Dave n'oserait jamais se transformer en sirène s'il risquait d'être vu. Il aurait trop peur de mettre en danger la vie des habitants de Lénacie. Sachant cela, je pense que faire suivre son voilier est certainement le meilleur moyen de l'empêcher d'arriver à temps pour les épreuves...

– Il y a du Usi là-dessous, j'en donnerais la moitié de mes écailles aux requins ! décréta-t-il en suivant leur mère.

3

La bonne huître

Le premier chant du soir allait bientôt être entonné. Marguerite mettait une touche finale à sa tenue. « C'est si simple de s'habiller en mer », soupira-t-elle. Il n'y avait qu'à se préoccuper du haut de son corps. Pour la soirée d'ouverture des épreuves, Marguerite portait un magnifique haut de bikini tissé de fils verts qui changeaient subtilement de couleur selon la température de l'eau. De fines bandes d'étoffe frangeaient le bas du vêtement et descendaient jusqu'aux hanches de Marguerite, soulignant avantageusement chacun de ses mouvements.

Elle rejoignit son frère dans sa chambre. Ce dernier portait autour de ses épaules une bande de tissu vert qui descendait en V sur sa poitrine et dans son dos. Una entra à son tour.

– Très belle kilta, Marguerite, admira d'emblée sa mère. Tu vas faire des jalouses, ce soir.

– Merci, mais qu'est-ce qu'une kilta ?

– C'est ce que tu portes, voyons ! pouffa Hosh.

Lorsqu'ils arrivèrent dans la grande salle de bal, un silence suivit le tumulte qu'ils entendaient à l'arrière-plan depuis déjà quelques instants. Tous les sirènes présents s'étaient tus, s'absorbant dans une gracieuse révérence destinée à leurs monarques.

Stupéfaite, Marguerite constata qu'Usi était entré dans la pièce exactement au même moment que sa jumelle. Ce n'était pas la première fois que l'adolescente remarquait cette scène. Les souverains surgissaient pourtant de deux corridors différents. Comment faisaient-ils ? Y avait-il un peu de magie là-dessous ? Ils nagèrent chacun machinalement vers leur trône et l'atteignirent en même temps.

Marguerite observa son oncle. Il avait, comme son fils Jack, une queue bourgogne. Celle d'Usi, par contre, était très sombre. N'eût été de son attitude glaciale, il aurait été plutôt un beau sirène. Il était grand et musclé. À part sa couronne posée sur ses longs cheveux, il ne portait qu'une pièce de tissu semblable à celle de Hosh, mais de couleur or. Ses yeux, lorsqu'il les posa sur sa nièce, révélaient clairement qu'elle n'aurait jamais sa place en sa présence.

« Il est étonnant, se rendit compte Marguerite, que j'aie réussi à passer quatre jours au château sans rencontrer mon oncle et mes cousins. »

En pensant à eux, l'adolescente tourna son regard vers Jessie. Celle-ci se tenait bien droite. « Elle est magnifique », l'admira sincèrement Marguerite. La jeune fille avait cependant appris à ses dépens que cette beauté était loin de refléter une âme sœur et qu'elle devait sans cesse se méfier de sa cousine.

Elle reporta son attention sur les lieux. L'aspirante avait toujours aimé cette grande salle qu'elle trouvait splendide et qui était située en plein centre du château. De chaque côté des trônes d'Usi et d'Una, les sièges des six évaluateurs de la succession à la couronne étaient installés. Aux côtés de la reine se tenaient Oscar, Madame de Bourgogne et Cérina. Marguerite remarqua que l'évaluatrice Cérina avait pris quelques kilos supplémentaires au cours de l'hiver. Elle avait la manie de tripoter sans cesse ses colliers de perles, ce qui agaçait souverainement l'adolescente. Il faut dire aussi que l'admiration que Cérina portait à Usi ne passait pas inaperçue. D'ailleurs, quelques injustices s'étaient mystérieusement produites lors des dernières épreuves au profit de Jack et Jessie et au détriment des autres couples de jumeaux.

Aux côtés d'Usi siégeaient les évaluateurs Mac, Victa et Coutoro. Marguerite détestait ce dernier viscéralement. Celui-ci le lui rendait bien. Il avait essayé de la piéger à maintes reprises l'été précédent au cours des évaluations et, il fallait bien qu'elle l'admette, il avait souvent réussi.

Coupant court aux réflexions de sa sœur, Hosh lui prit le coude pour qu'ils aillent rejoindre les autres aspirants. Une fois tous réunis, Usi tendit le bras vers Una. La reine déposa délicatement sa main dans celle de son frère et ils se redressèrent, flottant au-dessus de leur siège.

– Chers aspirants, bienvenue ! les accueillit-elle de sa voix qui résonnait naturellement dans la pièce. Je suis heureuse de vous recevoir pour cette deuxième saison d'épreuves. Nous vous rappelons que pour pouvoir accéder à la finale, vous devez avoir accumulé un total d'au moins cent cinquante bâtons d'awata. L'an dernier, vous nous avez prouvé que vous avez tous de belles aptitudes pour régner sur le royaume de Lénacie et que vous êtes capables d'adaptation, d'entraide et de débrouillardise.

« Les souverains du royaume sont avant tout des sirènes œuvrant POUR le peuple. Notre première responsabilité est d'offrir à tous nos sujets amour, compréhension et justice. Cette année, les évaluateurs observeront donc vos qualités de cœur, vos connaissances de notre monde, votre sens des responsabilités et votre solidarité. »

– Pour ce faire, continua Usi de sa voix basse, nous avons prédéterminé des milieux de stage qui nécessitent une réorganisation des ressources. En couple, vous deviez donc passer un mois dans un milieu puis un second mois dans un autre où vous auriez eu carte blanche pour modifier et améliorer la situation.

– Cette année est cependant exceptionnelle, reprit Una. Une invitation nous est parvenue du peuple des mers du sud. Le roi Simon célèbre son soixantième anniversaire et souhaite que des habitants de Lénacie se joignent à la fête. Mon frère et moi jugeons qu'il s'agit là d'une occasion inespérée pour vous de découvrir un autre royaume. Aussi, trois des cinq couples d'aspirants iront en mission diplomatique à Lacatarina pour une durée de trois semaines. Approchez !

Marguerite et Hosh, Jessie et Jack, Occare et Dave, Pascale et Pascal ainsi que Céleste et

Quillo nagèrent vers leurs souverains. Usi déposa cinq huîtres sur un plateau que tenait un serviteur.

— Un membre de chaque couple doit maintenant choisir une huître, continua Una. Si une perle se trouve à l'intérieur, vous partez ; s'il n'y en a pas, vous demeurez à Lénacie.

Hosh manqua singulièrement de courtoisie en saisissant l'huître que Jack s'apprêtait à prendre. Au grand étonnement de Marguerite, Jack bouscula Dave et s'empara de l'huître que ce dernier convoitait. Tous ces gestes s'enchaînèrent si vite que Marguerite n'était pas certaine d'avoir bien vu. Lorsque chaque couple eut une huître en sa possession, ils les ouvrirent. C'est avec stupéfaction et satisfaction que Marguerite découvrit une perle dans la leur.

Pendant qu'ils regagnaient leur place sous les chants d'applaudissements, Marguerite demanda à Hosh :

— Comment as-tu su ?

— En déposant les huîtres, Usi a très légèrement levé son auriculaire devant celle du milieu puis son annulaire devant celle de gauche. Comme j'étais certain que d'une façon ou d'une autre Jack et Jessie essaieraient de tricher, j'étais attentif à tout.

– Bravo ! le félicita sa jumelle.

Marguerite sourit à son frère pendant qu'Una reprenait la parole afin de faire connaître les résultats du tirage au sort. En apprenant que Jessie et Jack seraient du voyage, l'adolescente ravala son sourire. Usi poursuivit en souhaitant la bienvenue aux évaluateurs et en dévoilant les milieux de stage.

Ainsi, pendant trois semaines, Marguerite et Hosh, Pascale et Pascal ainsi que Jessie et Jack effectueraient une mission diplomatique à Lacatarina, la cité du royaume des mers du sud. Pendant ce temps, Céleste et Quillo travailleraient au département de la Justice ; quant à Occare et Dave, ils veilleraient à améliorer la sécurité de la cité.

À leur retour de Lacatarina, Marguerite et Hosh œuvreraient au centre de soins, Pascal et Pascale poursuivraient le travail d'Occare et Dave, tandis que ceux-ci passeraient au département de la Justice. Céleste et Quillo s'occuperaient du Centre des loisirs et Jessie et Jack se chargeraient du département de l'Éducation.

Tandis que des dizaines de serviteurs s'affairaient à disposer une kyrielle de plats tous plus invitants les uns que les autres sur les différentes tables de la salle, les aspirants, à l'exception de Jack et Jessie, formèrent un cercle. Tous étaient excités au plus haut point et avaient hâte de faire leurs preuves. Ce n'est que lorsque la musique annonçant le début du bal se fit entendre qu'ils cessèrent leur bavardage pour manger un peu. Marguerite appréciait le climat stimulant qui régnait entre eux. Un messager de la reine vint prévenir la jeune fille que sa mère demandait à voir les trois couples devant aller à Lacatarina.

– Mes enfants, commença Una, vous partirez pour le royaume des mers du sud demain matin au premier chant. Vous devrez donc quitter cette fête très bientôt afin de vous préparer et profiter d'une bonne nuit de sommeil. Votre mission est extrêmement importante. Les relations diplomatiques que nous entretenons avec nos voisins sont essentielles à notre survie et au climat de paix qui règne dans les océans. Aussi, l'évaluateur Mac vous accompagnera ainsi que maître Robin. Ils ont souvent visité cette région, ils seront donc en mesure de bien vous conseiller.

– Mère, qu'offre-t-on en cadeau d'anniversaire à un roi ? s'informa Marguerite.

– C'est une bonne question, ma fille. Nous y réfléchissons depuis que l'invitation nous est parvenue.

– Des terres et de l'argent sont exclus, décréta spontanément Jack.

C'était si évident que Hosh et Pascal levèrent simultanément les yeux vers la surface, affichant un air de dérision.

– Nous avons décidé de lui offrir une nouvelle invention, poursuivit Usi après avoir lancé un coup d'œil incisif à son fils. Il s'agit d'un puissant sonar créé par un syrmain de Lénacie. Cet instrument peut repérer le métal dans un champ d'action de soixante kilomètres. Il est, bien sûr, submersible et indétectable. Les plongeurs, les engins de recherche et les sous-marins pourront être localisés bien avant qu'ils atteignent la cité. Ainsi, les responsables de la sécurité à Lacatarina auront le temps de s'assurer qu'aucun sirène n'est visible et que l'écran de protection de la ville fonctionne bien.

– Je propose que ce soit les aspirants Pascale et Pascal qui remettent ce cadeau au roi Simon, lança Hosh, essuyant un regard noir de sa cousine.

– Je te félicite, mon fils, de ne pas désirer t'attirer tous les honneurs, le complimenta fièrement Una.

– Qu'il en soit ainsi, céda Usi de mauvaise grâce.

Marguerite et Hosh saluèrent Usi et Una ainsi que les évaluateurs qui étaient encore à leur place. D'un commun accord, les aspirants s'éloignèrent ensemble. Aussitôt qu'ils furent hors de portée de voix des souverains, Jessie se tourna vers Dave.

– C'est vraiment dommage que vous ne puissiez venir avec nous à Lacatarina, susurra-t-elle.

– Oui, il faudra être plus vite la prochaine fois ! lança ironiquement Jack, en faisant référence au tirage de l'huître.

– Compte sur moi ! lui promit Dave, menaçant.

– En attendant, reprit Jessie avec condescendance, vous allez devoir travailler pendant que nous, nous nous amuserons à découvrir un autre royaume !

– Hum ! c'est vrai, mais il faut voir le bon côté des choses, rétorqua Quillo malicieusement. Nous aurons un mois de plus pour convaincre les évaluateurs et la population de notre aptitude à régner sur Lénacie.

Jessie haussa les épaules, tourna la queue et quitta le groupe, suivie de près par son frère. Il était évident que cette remarque l'avait ébranlée. En cette deuxième année de course à la couronne, chaque point gagné était important.

Les huit aspirants restants se souhaitèrent bonne chance pour les prochaines semaines et se séparèrent. Avant de quitter la fête, Marguerite et Hosh jetèrent un regard nostalgique à la grande salle où les festivités battaient leur plein.

*   *
*

Au moment même où Marguerite allait glisser dans les bras de Morphée, un souvenir puis une idée lui traversèrent l'esprit. Elle se leva d'un bond et nagea jusqu'à la salle de bal où elle pénétra par une porte dérobée. Elle chercha sa mère des yeux et la découvrit qui valsait avec M. Brooke. Ils formaient un couple magnifique. La jeune fille attendit sagement la fin de la danse. Lorsque M. Brooke raccompagna Una à son trône, elle s'approcha doucement de sa mère.

– Mère ? murmura-t-elle.

– Tu n'es pas couchée ? bredouilla la reine en rougissant.

– Je l'étais, mais je viens de penser à quelque chose. Pourriez-vous me trouver une robe de soirée d'humaine avant mon départ ?

Una interrogea sa fille du regard. Que voulait-elle faire avec pareil déguisement ?

– Je vais voir ce que je peux faire, promit-elle.

Deux heures plus tard, la reine pénétrait dans la chambre de Marguerite et glissait un paquet dans son sac de voyage.

– Mère ? murmura l'adolescente endormie.

Una s'approcha de l'assur de sa fille.

– J'ai trouvé une robe d'humaine qui devrait t'aller. Que veux-tu en faire ? ne put s'empêcher de demander la reine.

– Vous rappelez-vous, l'été dernier, au spectacle du groupe Hypnotisme ? J'avais mis une des robes de Jessie.

L'été précédent, Jessie avait voulu se moquer de Marguerite en lui prêtant une robe de soirée pour assister à un concert. Marguerite n'avait pas deviné qu'au milieu de l'océan ce genre de vêtement relevait du déguisement. Elle s'était présentée à la soirée et avait alimenté nombre de conversations, bien malgré elle. Le roi Simon, en visite à Lénacie, lui avait dit ceci : « Votre audace, ce soir, fut un réel plaisir pour mes yeux. Il y a bien longtemps que je ne suis pas retourné à la surface et, surtout, que je n'ai pas vu une jeune demoiselle dans une aussi belle robe de soirée. Vous m'avez rappelé de précieux souvenirs, mademoiselle, et je vous en remercie. »

– Oui, sourit la reine à ce souvenir.

– J'avais été très gênée en m'apercevant qu'ici, ce vêtement était considéré comme un déguisement, poursuivit l'adolescente maintenant bien réveillée. Cependant, le roi Simon m'avait mise à l'aise en me confiant qu'il aimait ma tenue. J'ai pensé que je pourrais peut-être porter une tenue semblable, un soir, lorsque je serai là-bas.

– C'est une bonne idée, approuva sa mère. J'ai emballé un collier qui s'y assortira bien. J'ai aussi ajouté dans ton sac un collier de perles pour vos dépenses, à Hosh et toi.

– Merci.

Changeant brusquement de sujet, Una demanda sans détour à sa fille :

– Veux-tu devenir reine, Marguerite ?

– Je n'en sais encore rien, bredouilla honnêtement la jeune fille.

– J'aimerais que tu y réfléchisses sérieuse-ment. Pour ma part, j'avoue que je désire te garder ici près de moi. Tu as été absente si longtemps. Lorsqu'il y a quinze ans, j'ai dû te laisser partir, j'ai cru que je ne m'en remettrais jamais. Je souhaite tellement rattraper le temps perdu...

C'était la première fois que sa mère lui confiait ce qu'elle ressentait. L'adolescente sentit sa gorge se nouer. Elle était très touchée par ces paroles, mais elle ne trouvait pas de mots pour y répondre. Elle tendit la main vers sa mère qui noua ses doigts entre les siens. Après quelques minutes de silence, Una embrassa tendrement Marguerite sur le front et quitta sa chambre.

4

Correntego

Le dernier chant de la nuit réveilla Marguerite qui s'extirpa de son assur et alla rejoindre Hosh. Son frère se laissait doucement bercer par l'eau au centre de sa chambre. Marguerite n'avait jamais réussi à dormir ainsi. Elle avait besoin de sentir que son corps reposait sur quelque chose de bien solide.

De ses deux index, Marguerite le poussa délicatement dans la penderie sans le réveiller. Un sourire aux lèvres, la jeune fille songea : « Il est si facile de déplacer quelqu'un dans l'eau. » Elle referma doucement les portes du meuble en rigolant et siffla à la manière des dauphins afin de réveiller son jumeau en sursaut. Lorsqu'elle entendit Hosh se débattre comme un lion en cage et utiliser un vocabulaire en syrius qu'elle ne connaissait pas encore, elle se réfugia dans sa chambre en riant.

Quelques secondes plus tard, Hosh apparut sur le seuil, les cheveux en bataille et une lueur mi-maussade, mi-défiante dans les yeux. Marguerite prit son air le plus innocent.

— Bonjour, Hosh ! Je m'apprêtais justement à aller voir si tu étais debout. J'ai presque fini de faire mes bagages. Tu es prêt à rejoindre mère pour le déjeuner ?

Hosh dardait sur sa sœur un œil soupçonneux. Devant son air angélique, il se mit à douter du rôle qu'elle avait pu jouer dans son réveil chaotique.

— Ouais, allons-y, finit-il par bougonner.

Comme convenu la veille, ils se rendirent à la salle aux Dauphins. Tous les murs de cette pièce étaient en roc et sur chacun d'eux avaient été gravées des scènes de la vie des dauphins. Évidemment, Marguerite adorait cet endroit. L'année précédente, Hosh et elle avaient appris que leur père communiquait d'une façon très particulière avec les delphinidés. Il leur faisait faire littéralement ses quatre volontés sans même avoir à émettre un son. À sa mort, Una avait fait décorer cette salle en son honneur. Marguerite, à qui il avait légué une partie de ses dons de communication, ne se lassait pas de contempler les mille et un détails des murs.

Ce matin-là, toutefois, elle n'en eut pas le loisir. Una les attendait déjà.

– Bonjour, mes enfants. Comme une longue route vous attend, vous devez bien déjeuner, conseilla-t-elle en désignant d'un geste gracieux de la main le meuble sur lequel s'alignait une panoplie de mets. C'est un privilège qui vous est offert cette année, continua-t-elle en se servant elle-même. Il est très rare que des souverains potentiels se voient accorder la permission de voyager dans l'océan. Pour ma part, je n'ai jamais quitté Lénacie, leur avoua-t-elle. Dans cinq ou six ans, ce sera mon rôle d'entretenir de bonnes relations diplomatiques avec nos voisins.

– Vous ne savez donc pas à quoi ressemble ce royaume ? demanda Marguerite.

– Non, mais maître Robin et l'évaluateur Mac ont beaucoup voyagé. Ils pourront amplement vous dépeindre la cité de Lacatarina en cours de route.

– Est-ce très loin ? s'enquit Marguerite.

– Selon les mesures terrestres, c'est à environ huit mille kilomètres, l'informa Una.

Marguerite écarquilla les yeux. Comment allaient-ils se rendre là-bas ? D'après les lectures auxquelles elle s'était adonnée au cours de l'hiver, Marguerite avait appris que les sous-marins dépassaient rarement les trente kilomètres par heure. En supposant qu'ils disposent d'un tel moyen de transport, elle calcula mentalement qu'il leur faudrait au moins deux cent soixante heures pour atteindre la cité des mers du sud. Poussant son calcul, elle comprit que cela représentait onze jours s'ils ne s'arrêtaient pas en chemin et qu'ils voyageaient vingt-quatre heures sur vingt-quatre. Logiquement, le temps de faire l'aller-retour leur prendrait vingt-deux jours, soit plus de temps que ne durerait leur mission diplomatique.

Tandis qu'ils terminaient leur repas, les sirims d'Una entrèrent dans la pièce et se placèrent sans dire un mot près de la porte d'algues. Una regarda ses enfants avec beaucoup d'émotion et leur prit chacun une main. Elle les entraîna le long d'un des couloirs qui menaient à l'extérieur du château. Marguerite commençait à être nerveuse ; son estomac s'était transformé en une boule de plomb. Arrivée près de la porte, sa mère exerça une légère pression sur sa main, la lâcha et sortit la première. Les deux adolescents la suivirent et furent très surpris de découvrir une petite foule à l'extérieur. Outre de nombreux membres du personnel du château et plusieurs badauds, elle constata que

Dave et Occare ainsi que Céleste et Quillo étaient présents, de même qu'un groupe important de dignitaires.

Una guida Marguerite et Hosh vers la dizaine de personnes qui partaient avec eux, dont quatre gardes du palais. D'une voix suffisamment forte pour que tous entendent, elle leur souhaita un excellent voyage. Leur oncle approuva les paroles de sa sœur d'un hochement de tête. Alicia, la mère de Jack et Jessie, serra ses enfants dans ses bras et recommanda à son fils de prendre soin de sa sœur. Marguerite lança un dernier sourire à Céleste et Quillo ainsi qu'à Dave et Occare puis, suivant le reste de la délégation, s'éloigna du château et traversa la ville à la nage. Syrmains et sirènes les saluaient sur leur passage, ce qui surprit énormément Hosh.

— Je ne comprends pas, murmura-t-il à sa jumelle. C'est la première fois qu'on me salue autant.

— C'est normal, intervint maître Robin, à qui le commentaire n'avait pas échappé. Le peuple sait qu'il aura de nouveaux souverains dans deux ans. Les sirènes seront de plus en plus intéressés par vos prouesses. Les nouvelles voyagent parfois très rapidement dans la cité, avec leur lot d'effets positifs et négatifs. Votre voyage fait rêver plusieurs sirènes qui n'ont pas souvent l'occasion de quitter Lénacie.

– Que sommes-nous censés faire ? demanda Marguerite qui ne se voyait pas vraiment se mettre à agiter la main comme la reine d'Angleterre.

– Restez humbles. N'oubliez jamais que vous êtes au service du peuple et non l'inverse. La monarchie fait rêver, mais plus vous saurez être près de vos sujets, plus votre règne, SI vous régnez, se fera sans heurts.

Cela dit, Pascal se pencha vers Marguerite.

– Il semble que certaines personnes ont plus de difficulté que d'autres à paraître humbles, lança-t-il en observant Jessie.

Celle-ci nageait comme si elle paradait dans un défilé de mode, sans se gêner pour balayer l'eau de grands gestes de la main afin de saluer les sirènes du royaume.

Pascal se tut, car ils arrivaient à proximité de la barrière de brouillard. Ils la franchirent sans problème. Marguerite remarqua qu'ils s'étaient instinctivement rapprochés les uns des autres. En effet, au-delà du dôme protecteur, ils ne disposaient plus de la sécurité de la cité et ils ne pouvaient compter que sur eux-mêmes pour se défendre contre les prédateurs ou échapper à la surveillance des sous-marins.

Se demandant toujours comment ils allaient se rendre jusqu'à Lacatarina, Marguerite interrogea maître Robin.

– Nous nous servirons des courants marins, la renseigna le syrmain, heureux de partager ses connaissances. Vois-tu, la terre reçoit l'énergie du soleil de façon inégale. Lorsqu'on se trouve au Nord, comme dans l'océan Arctique, les rayons du soleil arrivent de manière très inclinée à la surface de l'océan et ne réchauffent pas beaucoup l'eau. À l'inverse, près de l'équateur, les rayons arrivent en ligne droite et sont très chauds. Ce déséquilibre met en mouvement les océans, qui tenteront de rééquilibrer leur chaleur.

– Comment vont-ils faire ? s'enquit Marguerite, fascinée par ce qu'elle entendait.

– Les vents, créés également par cette différence de chaleur, continua le maître comme s'il donnait une conférence, vont engendrer les courants de surface qui, à partir de l'équateur, se dirigeront vers le Nord et vers le Sud. À cause de l'évaporation, les eaux chaudes de surface se chargeront en sel et deviendront plus denses. En arrivant au Pôle, l'eau qui se changera en glace expulsera le sel, qui alourdira encore davantage l'eau non gelée. Celle-ci deviendra tellement dense qu'elle plongera vers les profondeurs. L'eau froide, étant plus lourde que l'eau chaude, se déplacera à son tour vers les profondeurs et reviendra vers l'équateur.

– Je ne suis pas certaine de bien comprendre, avoua Pascal pendant que Jessie levait les yeux vers la surface en signe d'exaspération.

– Les courants marins se déplacent un peu comme un tapis roulant, résuma maître Robin avec un sourire. Les eaux de surface vont dans un sens, puis s'enfoncent vers les profondeurs et reviennent dans le sens inverse.

– Et nous, nous prendrons ce tapis roulant aquatique ? questionna Marguerite qui aimait bien l'idée.

– On peut dire ça. Les courants qui s'agitent sous la surface océanique sont difficiles à détecter pour les humains. Avec les années, nous avons étudié ces « rivières sous-marines » et nous avons mis au point nos propres moyens de transport.

– J'ai tellement hâte d'utiliser le *correntego*, s'enthousiasma Hosh qui venait de se joindre à eux.

– Le quoi ? demanda sa sœur.

– Le *correntego*, reprit Pascale. C'est une machine qui nous permet d'utiliser les courants marins et de voyager extrêmement vite entre les cités.

– Les inventeurs de ce moyen de transport étaient un syrmain portugais et un syrmain anglais, reprit maître Robin. Ils ont donc pris chacun un mot de leur langue d'adoption pour nommer leur invention. *Corrente*, qu'on prononce correnté, veut dire « courant » en portugais et *go* signifie « aller » en anglais. En se servant de la force des courants marins comme propulseurs, cet engin avance à une vitesse presque constante de deux cents kilomètres par heure. Nous voyagerons donc pendant près de quarante heures.

– Sans nous arrêter ? s'inquiéta l'adolescente qui se souvenait d'avoir pris l'avion pendant sept heures et avoir eu des fourmis dans les jambes au bout de quatre.

– À vrai dire, nous prendrons deux pauses, la rassura maître Robin qui se tut ensuite.

Marguerite et Hosh nagèrent côte à côte vers les profondeurs de l'océan jusqu'au premier chant de la mi-journée. À ce moment, le groupe s'arrêta pour le repas du midi et la jeune fille apprit que, par mesure de sécurité, toutes les cités des mers avaient été construites entre une demi-journée et une journée de nage d'un des courants océaniques.

– Pourquoi de telles mesures ? s'enquit-elle auprès des autres aspirants.

– Voyons, c'est évident ! lança Jessie. En temps de guerre, plus une cité est loin des courants de transport, plus les habitants ont le temps de voir leurs ennemis approcher. Les attaques surprises sont donc beaucoup plus rares.

Lorsqu'ils reprirent la route, Marguerite nagea en écoutant maître Robin instruire Hosh sur les habitudes de vie du requin pèlerin, le deuxième plus gros poisson après le requin baleine. Elle fut surprise d'apprendre qu'il peut mesurer jusqu'à douze mètres de long. Sa première nageoire dorsale est grande, triangulaire et peut atteindre jusqu'à un mètre. Maître Robin leur apprit également qu'il se nourrit exclusivement de zooplancton, soit un plancton animal.

Soudain, nager devint de plus en plus difficile pour Marguerite. Elle dut lutter contre le courant pour continuer à suivre les autres. Le sol, en pente douce, se rapprochait lentement. Hosh donna un coup de coude à Marguerite et pointa du doigt un appareil qui devait être le *correntego*. C'était beaucoup moins grand que ce que Marguerite avait imaginé.

La jeune fille regarda sa montre de plongée et informa son frère qu'ils avaient nagé près de huit heures depuis leur départ.

– Je ne comprends toujours pas ce que « huit heures » représentent, lui fit remarquer ce dernier qui ne déchiffrait pas très bien les mesures de temps terrestres, mais si tu essaies de me dire qu'on nage depuis assez longtemps pour mériter une pause et un bon repas, je suis d'accord avec toi. J'ai des crampes dans la queue depuis déjà un bon moment.

Marguerite sourit et reporta son attention sur le *correntego*. L'engin avait la forme d'un immense poisson transparent. Les nageoires dorsales et caudales servaient de gouvernails et étaient commandées de l'intérieur de l'appareil.

– On dirait un gigantesque poisson de verre, remarqua Marguerite en passant sa main sur la paroi lisse du *correntego*.

– C'est presque ça, lui apprit maître Robin. La coque est faite d'un matériau semblable à du verre trempé mais qui est pratiquement incassable.

– Comment avance-t-il ? s'informa Pascal qui faisait le tour le l'engin.

– Tu vois la grosse boîte qui se trouve au fond de l'appareil ? demanda l'évaluateur Mac qui venait de s'approcher d'eux. On glisse des bâtons d'awata dans un des compartiments. Dans l'autre, on met des cristaux de soufre et du zinc. Lorsqu'on est prêt, on retire la paroi qui sépare les deux compartiments et une réaction chimique se produit.

– L'énergie générée est emmagasinée dans ce tuyau, renchérit maître Robin en montrant une canalisation qui longeait le ventre du poisson. Lorsqu'elle est expulsée, elle propulse le *correntego*. Nous avons déjà atteint la vitesse de trois cents kilomètres par heure !

– Pourquoi n'y en a-t-il pas à Lénacie ? s'informa Marguerite, souriant en voyant Jack blêmir à l'idée d'aller aussi vite.

– Parce que nous devons absolument nous trouver dans un courant marin océanique pour le faire fonctionner, lui apprit son jumeau. Une fois la réaction chimique amorcée, nous ne pouvons plus l'arrêter. Ça signifie que nous devons avancer à grande vitesse jusqu'à ce que toute l'énergie produite soit dépensée. Le *correntego* ne se dirige donc pas facilement, mais les rivières marines nous aident à ne pas dévier de notre trajectoire.

Marguerite trouvait fascinant tout ce qu'elle apprenait. À l'instar de Jack, elle n'était toutefois pas convaincue de prendre plaisir à filer à cette vitesse. D'après les attaches qu'elle voyait à l'intérieur du véhicule, tous les passagers allaient être installés côte à côte, en cercle, à l'intérieur du corps du poisson. Elle ferait donc face à trois ou quatre personnes fixées sur la paroi opposée à la sienne. Que se passerait-il si elle avait mal au cœur en plein milieu du voyage ?

C'est ce moment précis que choisit Pascale pour lui offrir un pâté de clipsa. Hum... Devait-elle le manger ? Son estomac se révolta dès qu'elle émit la pensée de s'en priver et elle décida qu'il valait mieux le satisfaire.

Dès qu'ils furent rassasiés, deux des gardes qui les accompagnaient ouvrirent une porte sous la nageoire dorsale du poisson de verre. Deux autres gardes se glissèrent à l'intérieur. L'un d'eux alla se placer à l'avant du poisson et l'autre, tout près de la queue. Marguerite les regarda s'installer, sachant qu'elle aurait sans doute à faire pareil. L'adolescente devina que le premier garde serait leur conducteur. Il sangla le bout de sa queue juste avant la nageoire caudale à la paroi du *correntego*, puis répéta l'opération avec une ceinture qu'il ajusta à sa taille et finalement une plus petite qui faisait le tour de son front. « Wow ! Trois ceintures de sécurité par passager. C'est ce qui s'appelle de la prudence ! » pensa la jeune fille. Maître Robin entra dans le *correntego* en même temps que Hosh et tous deux prirent place dans le ventre du poisson. En fait, une fois leurs ceintures ajustées, ils se retrouvèrent couchés sur le dos.

Tout à coup, Marguerite sentit l'atmosphère s'alourdir. Les gardes se rapprochèrent des aspirants et, d'un geste, les rassemblèrent.

– Que se passe-t-il ? interrogea Pascale.

– Nous sommes observés, signala un des gardes.

– Que voulez-vous dire ? demanda Jack en fronçant les sourcils.

– Que quelqu'un ou quelque chose nous a pris en chasse, expliqua le garde.

L'adolescente regardait partout, son sens de la vibration aux aguets. Soudain, à quelques mètres de là, elle aperçut deux formes grises et longilignes se glisser derrière un rocher. On aurait dit des sirènes, mais leur corps était si déformé qu'elle n'aurait pu le jurer.

– Il y a des gens là-bas, osa-t-elle dire au garde près d'elle.

– Entrez vite dans le *correntego* ! ordonna-t-il.

Jack et Jessie bousculèrent durement Pascale et Pascal, qui s'apprêtaient à franchir la porte du véhicule.

– Je vous en prie, passez donc, leur lança Pascal en mimant un geste faussement galant de la main.

Lorsque tous furent installés, les deux derniers gardes détachèrent les amarres, entrèrent et refermèrent la porte. Marguerite les observa s'attacher le dos à la paroi supérieure du poisson. De cette façon, ils faisaient face à Hosh et à maître Robin. Ils étaient maintenant tous placés en cercle.

– Attention ! lança le garde responsable des métaux. Ça va secouer un peu !

Une légère explosion eut lieu et le *correntego* avança de quelques mètres afin d'entrer dans le courant marin.

– C'est parti ! cria celui qui était aux commandes.

Une seconde explosion beaucoup plus forte se fit entendre et l'appareil fut projeté vers l'avant. Sous l'impact, Hosh éclata de rire. Marguerite se rendit compte qu'il n'était jamais monté dans quelque chose qui dépassait la vitesse de nage d'un dauphin. Enfin à l'abri, elle lui sourit et finit par rire avec lui : toute tension s'était évanouie en même temps que la fermeture de la porte du *correntego*. Ils allaient maintenant vraiment vite et la jeune fille comprit mieux la nécessité de la sangle qui ceignait son front. Sans cette ceinture, sa tête aurait sûrement balloté dans tous les sens. Elle s'habitua rapidement à la vitesse du *correntego*. N'eût été des explosions fréquentes lorsque des métaux étaient ajoutés dans le compartiment de combustion et des fois où elle se retrouvait la tête en bas parce que l'engin faisait des vrilles sur lui-même, le voyage aurait été vraiment agréable. Au bout d'un certain temps, elle réussit même à s'endormir.

Lorsqu'elle ouvrit les yeux, l'appareil avançait très lentement. Les gardes se relayèrent afin que le préposé aux commandes et le responsable des métaux se reposent. Voyant que ses protégés étaient tous éveillés, maître Robin en profita pour les instruire quelque peu quant au protocole à respecter à Lacatarina.

– Lorsque nous arriverons, nous serons conduits directement chez le roi, commença-t-il au moment où une nouvelle explosion les propulsait à plus de cent cinquante kilomètres par heure. Vous devez en tout temps témoigner du respect au souverain. Pour ce faire, vous devez effectuer une révérence de quelques centimètres lorsque vous êtes en sa présence. Ne lui tournez jamais le dos, ne lui parlez pas avant qu'il ne s'adresse à vous et, bien sûr, n'élevez jamais la voix en sa présence.

– C'est comme chez nous..., marmonna Jessie, hautaine.

– C'est vrai, reprit calmement maître Robin, cependant, contrairement à Lénacie, vous évoluerez dans un régime monarchique classique. Aussi, ces marques de respect s'étendent également au descendant direct du souverain qui deviendra roi à la mort de son père.

– Y a-t-il autre chose que nous devons savoir ? s'informa Marguerite.

– Comme dans tous les royaumes que j'ai visités, les sirènes de cet endroit sont persuadés que leur cité est la plus belle. Ayez de la considération pour leur monde et prenez-en soin.

Jack regarda sa sœur, affichant un air de profond mépris devant ces sages paroles.

* *
*

La température se réchauffait légèrement et le corps de Marguerite s'adaptait graduellement à la pression environnante. Lorsqu'ils étaient sortis du *correntego*, la jeune fille avait appris qu'ils étaient à près de trois cents mètres de profondeur. Malgré sa constitution de syrmain, elle avait trouvé la pression de l'eau très forte. Elle se sentait mieux maintenant. D'après les impressions que son corps lui transmettait et qui étaient similaires à celles qu'elle ressentait à Lénacie, elle estima qu'ils devaient maintenant se trouver à moins de deux cents mètres de la surface. Une heure plus tard, Marguerite vit le sol s'ouvrir brusquement sur un précipice. Il n'y avait plus rien devant eux.

– C'est une illusion d'optique, la rassura maître Robin en continuant d'avancer droit devant lui.

– Vous voulez dire que ce précipice n'existe pas ? s'étonna Marguerite.

– Oh ! il existe bel et bien, sourit-il, mais il n'est large que d'une centaine de mètres. Lacatarina se trouve de l'autre côté. En plus d'un dôme de brouillard, la cité est protégée par un système de miroirs qui projettent l'illusion que le précipice est sans fin.

Le groupe avança donc en ligne droite vers le néant. Tout à coup, Marguerite sentit un étrange picotement sur sa peau qui dura quelques secondes. Puis le paysage s'éclaira autour d'elle. Elle venait de pénétrer dans la cité des mers du sud.

5

Lacatarina

Des gardes les attendaient à quelques coups de queue de l'endroit où ils se trouvaient. Le groupe s'immobilisa et un grand sirène à la queue turquoise s'approcha.

– Au nom de notre souverain et des habitants de Lacatarina, je vous souhaite la bienvenue, commença-t-il dans la langue universelle des sirènes. Je me nomme Fredam et je suis chef de la garde. Des chars sont à votre disposition afin de vous faciliter la traversée de la cité.

Marguerite regarda dans la direction indiquée par le garde. Une demi-douzaine de véhicules ressemblant à ceux qu'on trouvait à Lénacie étaient tirés par d'énormes marlins bleus. La jeune fille n'en avait encore jamais vu de si imposants. Ils devaient tous mesurer au moins trois mètres. Leur dos était bleuâtre, brun foncé ou noir et leur ventre, argenté ou jaune. Leur très long rostre en forme d'épée et les dents pointues que Marguerite apercevait n'étaient pas très rassurants.

Répondant à l'invitation du chef de la garde, elle se dirigea vers un char aux teintes rosées. Elle y prit place avec son frère et glissa son poignet dans un des bracelets fixés sur le côté intérieur du véhicule. Cette bande en cuir de baleine leur permettait de se laisser tirer sans effort, tout en demeurant à l'intérieur du char. Marguerite s'abandonna ensuite au plaisir de découvrir la cité qui se dévoilait à ses yeux ébahis.

L'adolescente avait cru naïvement que tous les royaumes se ressemblaient. Elle fut très surprise de constater qu'il n'en était rien. Beaucoup moins large et longue que Lénacie, Lacatarina était construite tout en hauteur. Marguerite avait l'impression d'évoluer au-dessus du centre-ville de New York immergé sous des centaines de mètres d'eau. Hosh paraissait encore plus impressionné qu'elle.

Les marlins qui tiraient leur char avançaient rapidement et elle vit soudain surgir le magnifique palais de Lacatarina. Contrairement à celui de Lénacie, il présentait énormément de ressemblances avec le château typique des contes de fées. L'architecte était à coup sûr un syrmain. Le palais comptait de nombreuses tours et même un chemin de ronde. À la place du traditionnel pont-levis, qui bien sûr aurait été complètement inutile ici, deux grandes portes de bois étaient entrouvertes. Marguerite était toujours surprise de trouver du bois dans les habitations sous-marines.

– Je me demande d'où viennent ces portes, chuchota-t-elle à l'intention de Hosh.

– Cette cité est étonnante ! s'enthousiasmat-il. Et quel drôle de palais ! As-tu déjà vu quelque chose de semblable, toi ?

Hosh n'attendait pas vraiment de réponse de la part de Marguerite. Celle-ci sourit en songeant que tous les enfants terriens qui connaissaient *Cendrillon* ou *La Belle au bois dormant* auraient pu lui répondre par l'affirmative.

Ils franchirent les portes du palais et pénétrèrent dans une grande cour. Au-dessus de leur tête s'étendait un immense dôme, où l'eau n'était pas transparente, mais bleu pâle, comme un ciel d'été. Les aspirants imitèrent maître Robin et descendirent de leur char. Ils furent aussitôt pris en charge par deux serviteurs du château et conduits à la salle du trône. La jeune fille sourit à nouveau en voyant que même la décoration intérieure cherchait à imiter celle des grands palais français. Lorsqu'ils entrèrent dans la salle du trône, le groupe se scinda en son centre pour laisser passer Pascale et Pascal. En effet, comme c'était eux qui avaient pour mission d'offrir le présent d'anniversaire au roi Simon, il avait été convenu qu'ils feraient également les présentations.

Tandis que Marguerite exécutait une révérence, elle sentit sur elle un regard intense. Même si l'envie de savoir d'où il venait était très forte, elle se concentra sur le roi, un syrmain un peu bedonnant d'une cinquantaine d'années.

– Soyez les bienvenus à Lacatarina, les accueillit-il en syrius. Je suis très heureux de vous accueillir et je vous souhaite un excellent séjour parmi nous. Je vous présente mon fils, le prince Mobile.

Marguerite se sentit aussitôt captive des deux grands yeux gris qui la fixaient intensément. Jessie, à côté d'elle, eut un mouvement d'agacement. Elle n'avait pas l'habitude qu'une autre fille lui vole la vedette.

– C'est un plaisir pour nous d'accepter votre invitation, affirma Pascale. Permettez-moi de vous offrir les salutations de nos souverains.

Le roi Simon hocha la tête et Pascal présenta chaque membre du groupe. Le souverain s'approcha et serra chaleureusement la main de Mac ainsi que de maître Robin. Il semblait bien les connaître. Ensuite, Pascal et Pascale remirent le présent d'anniversaire au roi, qui fut enchanté de découvrir le sonar. Il le remit entre les mains de Fredam qui ne demandait pas mieux que de pouvoir observer l'objet.

– Je propose maintenant que nous mettions de côté le décorum, s'exclama le roi Simon et que nous allions prendre l'excellent repas que mes gens ont préparé en votre honneur. Demain, après une bonne nuit de sommeil, vous serez officiellement accueillis par notre peuple.

* *
*

Marguerite se réveilla au deuxième chant du matin. Elle consulta machinalement sa montre et vit qu'elle affichait neuf heures. Encore endormie, la jeune fille dut faire un effort pour se rappeler que, la veille, la délégation avait enfin atteint sa destination. Elle prit quelques minutes pour observer la chambre dans laquelle elle se trouvait. Contrairement au château de Lénacie, qui avait été creusé à même le roc, celui-ci avait été érigé à partir du sol et bâti à l'aide de pierres massives. N'eût été de l'eau qui l'entourait,

Marguerite se serait crue sur terre. Les murs de sa chambre étaient faits de pierre rose taillée et installée de la même manière qu'on aurait édifié un mur de brique. La jeune fille observa que, sur plusieurs de ces pierres, on avait gravé des créatures sous-marines comme des anémones, des bryozoaires et des cyclostomes.

Effectuant un tour d'horizon de son environnement, Marguerite fut très surprise d'y découvrir une fenêtre. Elle s'en approcha et put observer la cour intérieure du château, où régnait une grande animation. De nombreux serviteurs se déplaçaient avec toutes sortes de paniers ou d'instruments sous les bras. Marguerite les différenciait facilement des autres sirènes, car les employés du palais portaient de fines chemises jaunes et, protocole oblige, longeaient les murs lorsqu'ils se déplaçaient. De plus, c'était les seuls sirènes qui semblaient réellement occupés. Les autres sirènes, vêtus de chemises à la coupe recherchée ou de magnifiques kiltas brodées et parsemées de pierreries, déambulaient calmement parmi les coraux et les anémones.

Marguerite se demanda ce qu'elle était censée faire. La veille, maître Robin avait offert aux jumeaux de les amener explorer la ville. Hosh et elle, de même que Pascal et Pascale, avaient immédiatement accepté, pendant que Jack et

Jessie restaient silencieux. « Tant mieux. C'est sûrement trop tôt pour eux », sourit la jeune fille qui savait que son cousin aimait faire la grasse matinée.

– Où se trouve la chambre de mon frère ? murmura-t-elle. Et comment rejoindre maître Robin ?

Elle avisa alors une chaînette qui pendait sur le mur près de son assur. À tout hasard, elle tira doucement dessus et attendit. Quelques secondes plus tard, la porte s'ouvrit sur une jolie sirène vêtue d'une kilta jaune.

– Bonjour, mademoiselle. Je m'appelle Maï. Vous m'avez appelée ? s'informa-t-elle en syrius.

– J'aimerais savoir si mon frère est réveillé.

– Je me renseigne à l'instant, mademoiselle.

Maï revint quelques minutes plus tard. Elle dirigea Marguerite jusqu'à une petite salle à manger où Hosh et maître Robin l'attendaient. Le repas terminé, ils nagèrent jusqu'au jardin intérieur, où Pascal, Pascale, le jeune prince et un garde les attendaient.

– J'espère que vos chambres sont conforta-bles et que vous êtes bien reposés ! les accueillit

Mobile avec un franc sourire. Je sais par expérience que le voyage depuis Lénacie est très long.

– Nous sommes en pleine forme ! s'exclamèrent Pascal et Pascale d'une seule et même voix, comme cela leur arrivait souvent.

– Dans ce cas, peut-être accepterez-vous que je vous serve de guide pour visiter la cité ? s'enquit le prince.

– Cela nous ferait extrêmement plaisir, balbutia Marguerite, une drôle de sensation papillonnant dans son ventre.

Mobile était un sirène de quelques années leur aîné. Ses cheveux lisses et châtains, qui lui descendaient jusqu'au milieu du dos, étaient noués en une épaisse queue-de-cheval. Il était musclé et avait une queue vert forêt. Marguerite le trouvait très beau et cela l'intimidait beaucoup.

Lorsqu'ils furent tous bien installés dans un grand char, Mobile donna au marlin le signal du départ. À peine sortis du palais, ils bifurquèrent vers la droite. Mobile leur indiqua plusieurs bâtiments en leur expliquant la fonction ainsi que l'importance de chacun. Il attira également leur attention sur des édifices à logements ; Mobile leur apprit qu'ils étaient habités par plusieurs générations d'une même famille élargie. Marguerite jugea le concept intéressant. Sur terre, elle aurait bien aimé vivre plus près de ses cousins et de ses cousines.

En périphérie de ce que Marguerite appelait le centre-ville, elle découvrit que, comme à Lénacie, des champs cultivés et des élevages s'étendaient au loin. C'était à peu de choses près comme sur la terre ferme, où la campagne jouxte souvent les abords des grandes villes. Elle fut intriguée par ce qui bordait la frontière invisible de la ville.

– Qu'y a-t-il au pied de la frontière ? s'étonna Pascale au même moment.

– Ce sont des éponges, le renseigna Mobile en lançant spontanément le char vers celles-ci. Nous avons dû en installer en grande quantité tout autour de Lacatarina, car l'eau n'est plus aussi saine qu'avant. Il y a deux ans, plusieurs sirènes sont subitement tombés malades et des syrmains, qui à la surface étaient bien portants, se retrouvaient, en quelques jours à peine, plutôt mal en point après être arrivés dans la cité. Nos guérisseurs ont cherché jour et nuit la cause de ce mal étrange. On a pensé qu'il s'agissait d'un virus, car la maladie s'est répandue sur tout le territoire. Après de nombreuses recherches, nous avons finalement découvert que l'eau qu'on absorbait était la responsable. Il y avait eu déversement d'un produit toxique à la surface, à plus de trois cents kilomètres de la cité. Les substances lourdes des produits chimiques avaient fini par polluer notre eau. Nous avons donc remédié à la situation en plantant des milliers d'éponges aux limites de Lacatarina. Une seule éponge peut filtrer des dizaines de litres d'eau. La ville s'est ainsi rapidement assainie et l'eau demeure désormais propre et claire. En quelques semaines, nos gens se sont rétablis et les activités ont pu reprendre comme à l'habitude.

Marguerite observa le sol et vit sur plusieurs mètres des éponges de toutes les couleurs. À l'instar de Lénacie, Lacatarina possédait un microclimat qui permettait aux éponges de vivre à cette profondeur. L'adolescente se sentit soudainement gênée d'être une syrmain. Lorsqu'elle vivait sur terre, elle contribuait en quelque sorte à la pollution des océans, ne serait-ce que parce qu'elle n'entreprenait rien pour l'éviter ou parce qu'elle ne recyclait pas suffisamment.

– Qu'avaient-ils comme symptômes ? s'intéressa maître Robin.

– Ils avaient de la difficulté à respirer, et ce, même dans les courants forts de la cité. Ils s'évanouissaient et perdaient l'appétit. Leur peau prenait une teinte orangée et les écailles de leur queue se détachaient, se remémora Mobile en frissonnant.

Hosh et Pascal grimacèrent. Marguerite regarda sa propre queue de sirène en se disant que ce serait vraiment horrible de voir les écailles mauves et vertes s'en décoller.

– Est-ce que les poissons ont été atteints ? se renseigna Hosh inquiet.

Le jeune homme avait l'âme d'un vétérinaire et il était toujours en train de soigner poissons et crustacés blessés ou malades.

– Oui, mais nous ignorons encore dans quelle mesure. Nos chercheurs effectuent de nombreux tests. En attendant les résultats, nous vivons exclusivement de ce que nous cultivons et élevons.

– Avez-vous des syrmains à la surface qui travaillent pour vous ? demanda Marguerite, curieuse de savoir ce qui se faisait sur terre.

– Bien sûr, assura Mobile. Ils ont fait leur possible pour limiter les dégâts, mais la sauvegarde des océans ne semble pas être une priorité pour les gouvernements terriens de cette partie du globe.

– Ouais, approuva Pascal, vous ne pouvez tout de même pas vous présenter à la surface pour leur dire de faire un effort !

Marguerite sourit à cette remarque. Elle imaginait la scène. Oh ! tout serait sans doute nettoyé très vite et l'on prendrait rapidement soin des océans, mais seulement pour exploiter d'une façon ou d'une autre le peuple sous-marin : esclavage, ressources naturelles, spectacles de foire... sans compter les innombrables tests – pour ne pas dire expériences – sur les sirènes et syrmains ! Ils n'avaient pas le choix ; ils devaient se débrouiller sans l'aide des humains et chercher eux-mêmes des solutions à la pollution produite par les terriens.

Ils revinrent au château tard en après-midi, satisfaits de leur visite. Mobile leur conseilla de se reposer un peu, car la présentation officielle qui aurait lieu juste avant le repas du soir promettait d'être haute en couleur et chargée en échanges diplomatiques.

Maï, la jolie sirim, attendait Marguerite et la précéda jusqu'à sa chambre pendant que des serviteurs s'occupaient des autres aspirants. Elle lui proposa quelques fruits marins et mit en marche le système de courant dans la pièce. Ce procédé permettait à l'eau de circuler plus facilement et Marguerite pouvait en extraire de plus grandes quantités d'oxygène sans effort. C'était presque aussi reposant qu'une sieste. Maï proposa ensuite à Marguerite de la coiffer pour la soirée.

L'adolescente ne savait pas comment refuser. Elle ne voulait pas qu'on soulève ses cheveux et qu'on voie ses branchies. L'année précédente, lorsqu'elles étaient apparues pour la première fois, Marguerite avait cru que tous les syrmains avaient des branchies derrière les oreilles et d'autres, comme elle, sur la nuque. Depuis, elle avait découvert que cette caractéristique n'était pas courante. En fait, les sirènes et les syrmains avaient des branchies derrière les oreilles seulement. Cette différence la mettait mal à l'aise et elle ne l'avait révélée à personne, pas même à son jumeau.

— J'avais plutôt pensé les laisser libres sur mes épaules, dit-elle.

— Dans ce cas, peut-être me permettrez-vous de relever deux mèches sur les côtés avec quelques perles ? insista Maï.

Marguerite accepta et, au bout de quelques minutes, elle fut fin prête. À ce moment, sa cousine Jessie se présenta à sa porte.

— Où étiez-vous aujourd'hui ? l'aborda-t-elle brusquement, de fort mauvaise humeur.

– Nous sommes allés visiter la ville, répondit calmement Marguerite.

– Avec le prince Mobile ?

– Oui.

– Puis-je savoir pourquoi Jack et moi n'avons pas été invités ? siffla Jessie.

– Vous l'avez été, affirma l'adolescente. J'étais là hier quand maître Robin vous a conviés à cette sortie.

– Il ne nous a pas dit que Mobile serait là ! se révolta sa cousine.

– Personne ne savait qu'il...

– Je vois clair dans ton jeu ! l'interrompit la jeune sirène d'une voix rageuse. Tu essaies de me tenir à l'écart, n'est-ce pas ? Eh bien, tu n'y parviendras pas !

Sur ces paroles, Jessie sortit en deux coups de queue. Marguerite en resta coite. Qu'est-ce que c'était que cette comédie ? Jessie n'avait qu'à s'en prendre à elle-même si elle ne s'était pas levée suffisamment tôt pour parcourir la ville. Puis un mouvement dans le coin de la chambre donna un indice à Marguerite : Maï !

Jessie espérait se servir de sa présence pour propager l'idée qu'elle était victime d'un coup monté visant à lui faire manquer la sortie. L'adolescente se jura de ne pas se laisser faire...

* *
*

— Marguerite, viens vite ! lui lança son frère en entrant en trombe dans sa chambre, le lendemain.

La jeune fille suivit son jumeau et se retrouva dans la cour extérieure du palais. Une petite foule était rassemblée en son centre. L'adolescente s'approcha et vit Jessie, un sourire resplendissant sur son visage, servir à Mobile un pâté de clipsa fourré. Jack était en grande conversation avec deux des cousins du prince, que Marguerite avait rencontrés la veille au cours du bal d'accueil en leur honneur.

— Que se passe-t-il ? demanda Hosh à Pascal, déjà sur les lieux.

— Mission séduction, sourit-il. Jack et Jessie ont fait préparer un énorme pique-nique par les cuisiniers du palais et ils le servent en grandes pompes. Je pense que c'est pour compenser leur absence d'hier matin.

C'est également ce que pensait Marguerite. Elle observa à nouveau sa cousine et sentit l'agacement monter en elle. Ce n'est pas que Jessie lui enlevait quelque chose à proprement parler, mais toutes ses manigances pour attirer l'attention lui tombaient sur les nerfs.

– Il ne nous reste plus qu'une chose à faire, affirma-t-elle.

– Laquelle ?

– Nous joindre à eux.

Marguerite prit son courage à deux mains et avança vers Jessie, suivie de près par ses amis.

– Elle part en guerre... je ne veux pas manquer ça pour trente bâtons d'awata, dit Pascal à sa sœur en rigolant.

– C'est extrêmement intéressant, roucoulait Jessie toujours en conversation avec Mobile. J'adorerais visiter cette usine.

– Mais bien sûr, répondit le prince.

Puis, galant, en voyant les autres aspirants approcher, il ajouta immédiatement : « Vos amis pourraient également se joindre à nous. »

– Avec plaisir ! lança Marguerite malgré le regard noir de sa cousine.

Un demi-chant plus tard, les garçons entreprirent une partie de zimma sous les encouragements un peu trop enthousiastes de Jessie. Les règles de ce jeu étaient simples. Deux équipes se faisaient face sur un terrain aussi haut que large et long. Les joueurs devaient frapper sur une balle en se servant uniquement de leur queue et l'envoyer dans le but adverse. L'équipe qui parvenait à marquer gagnait cinq points. Si la balle entrait en contact avec le sol, le dernier joueur à l'avoir touchée faisait perdre deux points à son équipe. Les buts, fabriqués à partir de la cage thoracique d'un cachalot, avaient une seule ouverture orientée vers la surface. Lorsqu'un membre de l'équipe adverse s'approchait, Marguerite pouvait voir le gardien se hâter de prendre une position horizontale, en se couchant au-dessus de l'ouverture de son but afin d'en couvrir la plus grande superficie possible.

Marguerite les observa pendant un moment puis, apercevant maître Robin un peu plus loin, décida de le rejoindre afin de lui poser une question qui lui brûlait les lèvres depuis leur départ de Lénacie.

– Maître Robin, pourquoi le roi Simon a-t-il invité des aspirants à la couronne de Lénacie pour souligner son anniversaire ? demanda-t-elle de but en blanc.

– C'est une excellente question à laquelle je n'ai pas de réponse. C'est la première fois que des aspirants à la couronne du royaume des mers du nord sortent de leur territoire avant la fin des épreuves.

– La première fois ? répéta Marguerite, songeuse.

– Il faut que tu comprennes que, selon nos traditions, à peu près tous les vingt ans, nous devons sélectionner les meilleurs descendants de la famille royale pour régner. Nous ne pouvons prendre le risque que vous soyez attaqués à l'extérieur des murs de la cité.

– Pourquoi les évaluateurs ont-ils accepté, alors ? interrogea-t-elle.

– Il n'est pas toujours facile de refuser les demandes des autres souverains, car nous, Lénaciens, couvrons un immense territoire et nous ne sommes pas très nombreux. Les bonnes relations sont importantes, et puis vous êtes cinq couples de jumeaux vraiment prometteurs. Vous auriez tous de belles aptitudes pour régner, ce qui est extrêmement rare. Les évaluateurs ont jugé qu'ils pouvaient prendre le risque.

Marguerite ne se sentait pas très rassurée. Elle avait l'impression qu'on venait de la donner en pâture aux requins juste pour voir ce qui arriverait... parce que CETTE FOIS-CI, ils pouvaient se permettre l'expérience... au risque de sacrifier un couple d'aspirants !

– Pour revenir à ta question initiale, plusieurs raisons sont possibles, reprit maître Robin. Du désir de vous connaître à celui de trouver une héritière royale pour le prince.

Marguerite faillit s'étouffer. Elle avait quinze ans ! Elle savait que les sirènes se mariaient beaucoup plus jeunes que les terriennes, mais tout de même !!! Elle n'était qu'à moitié sirène et elle n'avait pas encore décidé si elle ferait sa vie dans l'océan. Hosh rirait bien lorsqu'il apprendrait ça. Elle entendait déjà les blagues idiotes qu'il ferait à ce sujet...

6

Tournoi de tridents

— Ouf ! s'exclama Pascal. J'ai bien cru qu'on n'arriverait jamais à s'éclipser !

— La soirée s'est quand même bien déroulée, estima Marguerite après une courte réflexion.

— Parle pour toi ! s'écria Hosh. Ce n'est pas toi qui as été forcée d'écouter toute l'histoire de la cité depuis les six dernières générations !

Marguerite s'esclaffa en se remémorant son frère coincé entre deux sirènes d'un âge avancé pendant tout le souper.

— Je suis certaine que tu leur as fait un immense plaisir avec ton air intéressé et avenant, assura Pascale.

Hosh pouffa à son tour au souvenir de tous les bâillements qu'il avait dû réprimer. Marguerite revoyait en vrac les événements de leur soirée. Elle prit soudain un air sérieux.

– De quoi parlais-tu avec Mobile à la fin du souper ? demanda-t-elle à son frère étendu dans son assur.

– Du tournoi de tridents, répondit Hosh nonchalamment.

– De tridents !!! Tu veux dire le bâton de pouvoir du roi des océans ? insista Marguerite, incrédule.

Elle regardait son frère, bouche bée, ayant de nouveau l'impression de se retrouver au milieu du film d'animation *La petite sirène*.

– C'est vrai qu'un trident est une arme si c'est ce que tu sous-entends, mais il n'est pas réservé qu'aux rois. Tu as de drôles d'idées préconçues.

– Sur terre, cette « arme », comme tu dis, relève des contes de fées.

– Oui, et mon existence aussi, si je me rappelle bien, sourit Hosh. Quoi qu'il en soit, on a très peu d'occasions de s'en servir. Avant, les océans étaient peuplés de prédateurs et les guerres de territoire étaient réelles et nombreuses, mais avec les incursions de plus en plus fréquentes des humains, nous avons changé notre fusil d'épaule, comme vous dites sur terre.

— Nous concentrons davantage nos forces à nous protéger, reprit Pascale, à nous entraider et à sauver tout ce que nous pouvons de la pêche abusive des humains plutôt que de combattre entre nous pour des questions de territoires.

— Lorsque je vis ici, je suis rarement fière d'être en partie humaine, soupira tristement Marguerite.

— Tu as tort, lança Hosh en se levant d'un coup de son assur. Si j'étais à ta place, j'en profiterais. Appartenir à deux mondes diamétralement opposés : WOW ! Pense à tout ce que tu pourrais faire pour l'un comme pour l'autre.

— Oui, sans doute, murmura Marguerite, songeuse.

— Bref, continua Hosh, nous n'avions plus tellement d'occasions d'utiliser nos armes et les aînés ont craint que nous en perdions un jour les notions de maniement. Un trident est une arme extrêmement puissante commandée par la pensée. Apprendre à s'en servir est très difficile et très long. Afin de préserver la connaissance de la maîtrise de cet instrument, un jeu d'adresse a été inventé. Pour célébrer son anniversaire, le roi a organisé un tournoi qui aura lieu dans une semaine. Mobile m'a demandé si nous pensions y participer.

– Qui « nous » ? s'enquit Pascal avec espoir.

– Les sirènes de Lénacie, bien sûr, répondit immédiatement sa jumelle. Vous autres, syrmains, vous ne seriez même pas capables de faire sortir une étincelle d'un trident.

– Merci beaucoup, s'insurgea Marguerite.

– Ne le prends pas mal, l'amadoua son frère. Comme je te l'ai dit, apprendre à se servir d'un trident est très difficile. Ça demande beaucoup d'entraînement.

– Tu en possèdes donc un ? s'enquit sa sœur.

– Bien sûr que non, s'exclama Jessie, qui venait de pénétrer dans la pièce suivie de Jack. On doit les emprunter. Il n'y a que les gardes qui ont le droit d'en posséder. Leur usage est très sévèrement contrôlé et leur procédé de fabrication, extrêmement complexe.

116

— Êtes-vous doués à ce jeu ? s'informa Pascal aux trois sirènes qui avaient déjà manié l'arme.

— On se débrouille assez bien, avoua Pascale avec un sourire modeste. Étant futurs aspirants à la couronne, nous devions apprendre à nous en servir mieux que quiconque et c'est pourquoi nous avons reçu davantage de cours que les autres sirèneaux. Il faut que nous soyons en mesure de nous défendre si nous devenons souverains.

— Pour ma part, continua Hosh, j'ai eu un peu plus d'occasions de manier cette arme, car les gardes du château me prêtaient souvent la leur et m'aidaient à la maîtriser. N'oubliez pas que mon dernier apprentissage-pratique se passait parmi eux. J'ai donc participé à toutes les séances d'entraînement ces derniers mois.

— À quoi ressemble le tournoi ? demanda Pascal.

— Le tournoi est séparé en deux catégories, précisa Jessie, une pour les jeunes et une autre pour les adultes. Bien que le niveau de difficulté soit beaucoup plus élevé dans le tournoi pour adultes, les deux divisions doivent se soumettre aux trois mêmes épreuves : une compétition de sculpture, une compétition de lasso et une joute de tridents.

– Nous avons chacun nos forces, reprit Pascale. Pour ma part, je suis surtout douée pour la sculpture, qui demande une grande concentration et de la minutie. Tous les adversaires doivent se placer côte à côte et un juge nous montre une image ou nous dicte le nom d'un animal ou d'un objet. Nous avons quelques minutes pour tailler cet objet dans le roc ou pour le modeler avec le sable. Nous ne pouvons utiliser que notre trident et il nous est interdit d'approcher à plus de dix mètres de notre sculpture. Le vainqueur est celui qui représente le mieux l'objet dans le délai fixé. La représentation doit avoir l'air vivante.

– C'est ÇA, votre concours d'armes ? questionna Jack avec mépris. C'est un jeu pour enfants !

– Moi, je trouve ça fantastique ! s'exclama Pascal pour soutenir sa jumelle. Sur terre, un fusil ne sert qu'à tuer. Ici, un trident peut également contribuer à embellir le monde, c'est extraordinaire !

– En quoi consiste la seconde partie du tournoi ? demanda Marguerite avant que les choses s'enveniment.

– Le but de la compétition de lasso, expliqua Hosh, est de projeter un rayon lumineux aussi solide et flexible qu'une corde afin d'attraper un marlin en pleine course. C'est ma spécialité. Lorsque j'aurai réussi, le plus difficile sera de le maintenir aussi longtemps que possible sans le blesser. Cette seconde partie demande vitesse, force mentale et précision. Cette compétition a souvent lieu en même temps que celle de sculpture, parce que l'une comme l'autre prennent beaucoup de temps.

– Et c'est moi qui participerai au dernier jeu, conclut Jessie en se frottant les mains vivement. Le duel de tridents est toujours la dernière compétition de la journée. Deux adversaires se font face et essaient d'arracher l'arme des mains de leur rival.

– Tous les moyens pour y parvenir sont acceptés, ajouta Hosh. Il n'est donc pas rare de voir des participants gravement blessés dans cette partie du tournoi.

– Ça, c'est une compétition digne de ce nom ! s'exclama Jack, nullement inquiet pour sa sœur.

*   *

*

La première semaine fila à une vitesse hallucinante. Marguerite et Hosh rencontrèrent une foule de personnes, visitèrent des maisons, des usines, et s'intéressèrent aux moindres

119

quartiers de la cité. Ils participèrent à trois soirées mondaines et à autant de soupers officiels.

C'est au matin du neuvième jour que devait avoir lieu le tournoi de tridents. L'eau était froide à l'extérieur du château. Hosh se sentait d'humeur joyeuse et blaguait à tout propos avec sa sœur. Ils retrouvèrent Pascale et Pascal ainsi que Jessie et Jack. La veille, ils avaient tous convenu qu'aujourd'hui, la rivalité entre aspirants n'avait pas sa place. Ils représentaient Lénacie. Ils devaient travailler ensemble pour que leur cité rayonne. Les aspirants se rendirent à l'endroit convenu pour la compétition de sculpture.

Marguerite, Pascal, Jack et Jessie se joignirent aux spectateurs après avoir souhaité bonne chance à Pascale. Hosh, pour sa part, alla se préparer pour sa compétition qui devait commencer dans un demi-chant. Il y avait trente participants, Pascale étant la plus jeune. La compétition s'amorça dans un silence total. Ce genre d'événement était très prisé et la population y assistait en grand nombre. On présenta chacun des participants. Tous reçurent un chant d'applaudissements. Le plus bel accueil fut cependant réservé à un dénommé Diou, le sirène le plus âgé. Il devait avoir près de vingt ans. « Il doit être le favori », pensa Marguerite.

Sans plus tarder, le juge désigna aux compétiteurs l'image d'une étoile de mer. Au signal, tous levèrent leur trident et projetèrent un rayon lumineux aveuglant. En peu de temps, Marguerite se prit au jeu et partagea l'excitation de la foule. Quelques instants plus tard, lorsque les rayons s'éteignirent, les blocs de granit posés devant les concurrents avaient été changés en étoiles de mer. Les juges se promenèrent de l'un à l'autre. Pascale obtint la septième position. Elle tourna légèrement la tête vers son jumeau et lui fit un imperceptible clin d'œil. Marguerite sourit et comprit, avec ravissement, qu'elle n'avait pas dit son dernier mot.

– Pourquoi a-t-on accepté de la laisser participer à cette compétition ? cracha Jack. Comment peut-elle sourire pendant qu'elle déshonore Lénacie avec une *septième* place ?

L'adolescente allait répondre à son détestable cousin lorsqu'on ordonna le silence dans l'assistance. Compte tenu du nombre sans cesse grandissant de sirènes qui l'entouraient, Marguerite fut surprise de la vitesse à laquelle les juges l'obtinrent. Puis on donna comme instruction aux participants de sculpter une anémone.

Les éclairs cessèrent au bout d'environ quinze minutes et Marguerite put admirer de superbes actinies. Pascale obtint la onzième position. Elle avait façonné une magnifique anémone géante, mais qui semblait avoir pris racine dans le roc et s'être tout bêtement pétrifiée. Le favori de la compétition obtint la deuxième place pour son anémone de mer fixée au dos d'une coquille de mollusque et le cousin de Mobile obtint la première place avec une anémone chevaline dont les fines extrémités semblaient suivre réellement le mouvement des courants marins. Cette sorte d'anémone vit si près de la surface que peu de sirènes avaient déjà pris le temps de l'observer suffisamment pour être en mesure de la reproduire.

– Pfff ! Je ne veux pas assister à son humiliation, décréta Jack qui entraîna sa sœur dans son sillage.

– Bon débarras ! s'exclama Pascal avec colère.

Les belles paroles de la veille sur la solidarité entre les aspirants étaient déjà oubliées. Marguerite regardait ses cousins s'éloigner vers les joutes d'adultes lorsqu'un mouvement sur sa gauche attira son attention.

– Puis-je me joindre à vous ? l'aborda Mobile qui venait d'arriver près d'elle.

Marguerite sentit un frisson la parcourir en même temps qu'elle prenait conscience des regards des spectateurs. Les paroles de maître Robin lui revinrent en mémoire au sujet d'un possible mariage et elle répondit d'un ton légèrement plus froid qu'elle ne l'aurait voulu.

– Bien sûr. Vous ne participez pas ? s'enquit Marguerite pendant que les sirènes commentaient avec dynamisme les sculptures.

– Non, j'aimerais bien, mais cela m'est interdit. Entre vous et moi, je pense que mon père craint de me voir perdre. Selon lui, un prince doit toujours se montrer sous son meilleur jour. Cela rassure le peuple.

De formidables éclairs venaient d'apparaître au bout des tridents des concurrents. Mobile et elle avaient manqué la consigne. Ils attendirent tout en essayant de distinguer quelque chose au milieu des rayons. Lorsque les tridents cessèrent de produire leur éblouissante lumière, ils découvrirent des poissons tropicaux sculptés à même le roc.

– Les sculptures seront de plus en plus difficiles à exécuter, expliqua le prince au milieu du chant d'applaudissements de la foule. Des trois compétitions, c'est toujours à partir des résultats de celle-ci que les meilleurs gardes du royaume sont recrutés.

– Ah oui ? s'étonna Marguerite, qui croyait plutôt que c'était la compétition la plus facile et la moins dangereuse.

– Vous n'imaginez pas la force mentale que cela prend pour réussir à sculpter quelque chose à l'aide d'un trident. Il est plus facile d'en faire sortir un rayon mortel qu'un rayon ayant la douceur d'une pierre ponce.

Pascale se classa en cinquième position. La première place fut accordée pour la seconde fois au sirène le plus âgé. Les spectateurs chantaient de plus en plus fort après chaque épreuve.

– Qui est-ce ? demanda Marguerite pendant que cinq participants étaient éliminés du jeu.

– Il s'appelle Diou. Son père est un des gardes de la défense rapprochée du roi. Il a dix-neuf ans et c'est le meilleur sculpteur au trident de notre âge que je connaisse.

La jeune fille se laissait entraîner par l'enthousiasme des spectateurs. Elle aurait aimé découvrir la prochaine épreuve, mais la compétition à laquelle son jumeau participait était sur le point de commencer et Marguerite voulait être présente.

– Je reviens plus tard, dit-elle à Pascal.

Il lui fit un sourire et l'adolescente s'éloigna, accompagnée de l'héritier royal de Lacatarina. La compétition à laquelle participait Hosh se déroulait près d'un kilomètre plus loin. Les observateurs se comptaient en grand nombre. Les sirènes étaient dispersés sur plusieurs mètres autant en largeur qu'en hauteur, comme s'ils se trouvaient dans des gradins invisibles. Mobile prit la main de Marguerite et l'entraîna à sa suite. À ce contact, les joues de l'adolescente se colorèrent d'une teinte rosée et son cœur manqua un battement. Ils se faufilèrent entre les spectateurs et atteignirent les premiers rangs. Devant eux, aussi long qu'un terrain de football, s'étendait le site de la compétition. Les participants se tenaient à l'extrême gauche.

L'adolescente repéra rapidement son frère. Il tenait un trident presque aussi grand que lui et observait l'enclos des marlins.

– Pourquoi y a-t-il plusieurs marlins ? demanda Marguerite au prince.

– Pour que tous les concurrents aient un marlin aussi énergique, la renseigna Mobile. Si on utilisait toujours le même, le dernier concurrent serait avantagé, étant donné que le poisson montrerait des signes de fatigue.

– Mais les marlins n'ont certainement pas tous la même force ! opposa Marguerite.

– En fait, oui ! Leur force est sensiblement identique. De plus, on choisit des marlins sauvages qui détestent être enchaînés. Vous allez voir, ils se débattent et tentent de s'échapper à toute vitesse grâce à leurs puissantes nageoires. Cette compétition est souvent aussi dangereuse pour les spectateurs que pour les concurrents.

Marguerite ne put s'empêcher de comparer mentalement l'épreuve à un rodéo, comme ceux auxquels elle avait assisté sur terre.

Un sifflement aigu parvint à leurs oreilles. Le premier concurrent s'avança. On libéra un marlin qui partit comme une flèche en direction opposée. En une fraction de seconde, le poisson fut entouré d'une lumière bleutée. Un chant d'applaudissements s'éleva de la foule.

– Attraper un marlin en pleine course n'est pas facile, expliqua Mobile qui n'avait toujours pas lâché la main de Marguerite. Mais ce n'est rien comparé à la force mentale qu'il faut pour le tenir en laisse. Plus le marlin est près de son assaillant, plus c'est facile. Toutefois, les risques de blessures sont également plus grands.

Le rayon qui entourait le poisson faiblit et disparut. L'animal s'élança hors du terrain à une vitesse d'au moins soixante kilomètres par heure. Le concurrent suivant entra dans l'arène en bombant le torse. Il était sûr de lui. À son signal, on laissa filer le marlin. Il tendit le bras et lança un rayon lumineux qui entoura immédiatement le poisson. Ce dernier ne sembla pas apprécier le traitement. Marguerite pouvait clairement voir qu'il tentait de s'échapper vers la surface. Soudain, il bifurqua et se tourna vers son assaillant. « Va-t-il charger ? » s'inquiéta la jeune fille, qui avait l'impression que le marlin venait de se métamorphoser en taureau.

– J'ai l'impression qu'il va bientôt recevoir un baiser, lança Mobile à la blague.

Le participant laissa échapper une grimace craintive et agrippa son trident à deux mains. Son visage se crispa sous l'effort qu'il faisait pour dominer le marlin. Les sirènes-soignants s'avancèrent aux limites de l'arène. Puis, sans crier gare, le poisson changea à nouveau de direction et le rayon se rompit.

Cinq autres concurrents firent montre de leur talent, puis ce fut le tour de Hosh. Marguerite sentit ses mains devenir froides à la vue de son frère qui s'avançait seul dans l'arène. Grâce à sa montre, Marguerite avait pu déterminer les temps de chaque concurrent. Jusque-là, le meilleur temps avait été de quatre minutes vingt. Les yeux de l'adolescente se promenaient entre sa montre et son jumeau. Lorsque le sifflement se fit entendre, Hosh lança son rayon lumineux sur le marlin, qui y échappa en changeant brusquement de trajectoire. Il en lança immédiatement un autre qui claqua, tel un coup de fouet, près du marlin. Cela eut pour effet de faire revenir le poisson vers lui avant qu'il n'ait pris trop de vitesse. Le troisième rayon fut le bon et un lasso bleu entoura le marlin. Hosh avait les yeux rivés sur sa prise. « Une minute, nota mentalement sa sœur. Deux minutes. Trois minutes. »

— Tiens bon, Hosh ! Tiens bon ! murmura-t-elle.

« Quatre minutes... Cinq minutes. » L'adolescent abaissa son trident d'un coup et le rayon se brisa. Le marlin fonça vers les spectateurs qui poussèrent à l'unisson un cri de frayeur. Son long rostre faillit embrocher un sirène, mais l'animal bifurqua à la dernière minute pour disparaître vers la surface. Le résultat obtenu par Hosh fut annoncé et la force du chant d'applaudissements qui suivit fit rougir le jeune homme.

— C'est un excellent temps ! s'enthousiasma Mobile.

— Pouvons-nous aller le voir ? s'enquit fébrilement Marguerite.

– Non, il doit rester avec les autres concurrents. Ils sont nombreux cette année à participer. Votre frère ne concourra probablement pas avant un demi-chant. Tous ont deux chances de faire leurs preuves. Les juges additionnent les deux temps de chaque participant et ils tiennent compte des meilleurs résultats pour déterminer les gagnants.

Marguerite ne savait pas trop ce qu'elle devait faire. D'un côté, elle voulait suivre cette compétition et d'un autre, elle était curieuse de savoir comment Pascale s'en tirait. Elle consulta Mobile et ils décidèrent de retourner voir la compétition de sculptures, mais de revenir assez vite pour le deuxième tour de Hosh.

Lorsqu'ils arrivèrent, dix concurrents s'éloignaient vers les spectateurs en délire après avoir rangé leur trident.

– Que se passe-t-il ? s'inquiéta Marguerite.

– Ils ont été éliminés. Des quinze participants restants, seulement cinq atteindront la demi-finale. Regardez ! dit-il en désignant un tableau de pointage qu'on venait d'installer.

Le nom de Pascale figurait à la troisième position. Elle accédait donc à la demi-finale ! Le juge annonça la tâche suivante. Aux côtés de Marguerite, Pascal croisait si fort les doigts qu'ils étaient en train de changer de couleur. À partir de ce moment, un concurrent allait être éliminé à chaque tour.

Aux deux défis suivants, Pascale fut encore troisième. La foule était littéralement en délire. Il ne restait plus que trois sirènes en lice. La chance sourit à la jeune fille lorsque le juge demanda de sculpter un calmar géant. Ayant été attaquée par une de ces créatures lors des épreuves de l'été précédent, Pascale avait eu le temps d'observer cette bête de près. Elle la modela avec un réalisme saisissant et rafla la première place.

Le juge observa un instant les deux finalistes : Diou et Pascale. Son visage s'illumina. Il prit la parole :

– Chers sirènes, annonça-t-il d'une voix éraillée, devant l'excellence de nos deux sculpteurs, je modifierai mon programme afin de leur confier une tâche digne de leur talent.

Le chant d'applaudissements retentit haut et fort parmi les spectateurs et Marguerite pensa que Pascale venait de se tailler une solide réputation dans la cité. Elle-même chantait aussi fort que les autres. Le juge se rapprochait de plus en plus de Mobile. À la dernière seconde, il tendit la main à Marguerite tout en demandant au prince :

– Vous permettez ?

Malgré les signes de négation que lui faisait subtilement Marguerite, l'héritier royal acquiesça avec un sourire fendu jusqu'aux oreilles :

– Je vous en prie.

Marguerite n'eut d'autre choix que de suivre le juge. Celui-ci l'amena devant son amie et Diou. Contre toute attente, il leur annonça qu'elle représentait ni plus ni moins leur prochain défi. Pascale semblait ne pas en croire ses oreilles, alors que Diou fronça les sourcils sous l'effet de la concentration. Marguerite avait l'impression qu'un millier d'yeux la dévisageaient, l'analysaient et la soupesaient.

Après plusieurs minutes de réflexion, Pascale et Diou abaissèrent leur trident exactement en même temps. On aurait dit une chorégraphie. Le visage de Marguerite fut illuminé par deux puissants éclairs. Elle essayait de bouger le moins possible, ayant remarqué que les deux concurrents tournaient de temps en temps les yeux vers elle. Le rayon de Diou changea de couleur et devint bleuté tandis que celui de Pascale prenait subitement une couleur orangée. « Est-ce normal ? s'inquiéta Marguerite. Est-ce que les rayons changent de couleur à l'effort ? » Les spectateurs retenaient leur souffle. Le visage et le corps tendus des participants trahissaient leurs efforts de minutie. Marguerite était convaincue que sur terre tous deux auraient été couverts de sueur... un autre avantage de l'océan !

Finalement, le juge donna le signal d'arrêt. Diou éteignit immédiatement son trident pendant que Pascale, au grand étonnement de la foule, ne le fit pas. Par contre, elle en diminua l'intensité de façon à ce que tous puissent voir son œuvre. À nouveau, une puissante exclamation d'admiration surgit de la foule. Marguerite put enfin voir son sosie. Pascale n'avait pas touché au bloc de granit. Elle avait plutôt aspiré le sable du fond marin en une formidable spirale et avait assemblé chaque grain de façon à reproduire Marguerite. Le rayon du trident lui arrivait directement au centre du front et maintenait la sculpture vivante. La statue avait les mains jointes au niveau de la poitrine et tandis que le juge s'avançait, le double de Marguerite tendit les bras devant elle, ouvrit ses mains et en laissa échapper un tout petit poisson-clown qui nagea jusqu'à la vraie Marguerite.

Un tonnerre d'applaudissements fusa des spectateurs et avant même que le juge ne se prononce, Diou félicita bien fort la gagnante de la compétition. Pour sa part, il avait sculpté Marguerite dans le bloc de granit. La représentation était plus petite que l'originale. Sur son visage, on lisait de l'étonnement. Le résultat était fort acceptable, mais Diou avait éprouvé un peu de difficulté à façonner les écailles de sa queue. Pascale éteignit son trident et le sable descendit en une fine pluie vers le sol. Le juge leur serra la main puis céda sa place au roi qui venait de s'avancer. Personne ne l'avait vu arriver et Pascale sembla intimidée. Le souverain remit un collier de perles à chacun des finalistes, mais celui de Pascale, la grande gagnante, avait un double rang.

7

Le duel de Jessie

De retour au site de la compétition de lasso, les quatre amis trouvèrent rapidement des places. Il faut dire que la présence du prince aidait. Les spectateurs les laissaient volontiers passer. Marguerite regardait l'arène en essayant d'y apercevoir son frère.

— Bonjour, votre altesse, susurra une voix féminine qu'elle connaissait bien.

La malchance avait voulu qu'ils se retrouvent à côté de Jessie et Jack...

— Quand Hosh doit-il concourir ? s'enquit Pascale.

— Il a terminé, la renseigna Jack avec un sourire satisfait en regardant Marguerite.

Celle-ci était terriblement déçue d'avoir manqué la performance de son frère, mais elle ne voulait surtout pas demander à Jack le résultat final.

– Comment cela s'est-il passé ? interrogea Mobile, qui n'avait pas les mêmes réserves.

– Il s'en est passablement bien tiré, estima Jessie. Mais votre altesse n'a rien à craindre, il est loin d'arriver à la cheville de vos sujets.

Marguerite soupira. Elle chercha Hosh des yeux et finit par le trouver. Il était accoudé à la barrière des marlins et regardait avec intérêt le prochain participant entrer en scène. Celui-ci fut tout d'abord incapable d'attraper son marlin. Après huit tentatives, le poisson passa si près du concurrent qu'il réussit à l'entourer. Cependant, même si elle était néophyte en matière de compétition de lasso, Marguerite pouvait s'apercevoir que tous ces rayons avaient rendu le marlin fou de rage. Il se mit à se débattre comme s'il était prisonnier d'un filet de pêche, balançant son long rostre de tous les côtés. Le concurrent pâlissait à vue d'œil sous l'effort qu'il mettait à maintenir sa prise. N'y pouvant plus, il céda. Instantanément, le marlin fonça sur les spectateurs et embrocha le bras d'un sirène.

Les cris d'horreur de la foule semblèrent attiser encore davantage la colère de la bête qui, d'un coup de tête, projeta sa proie et bifurqua vers un autre groupe de sirènes. Avant qu'il blesse quelqu'un à nouveau, un des juges de la compétition monta de quelques coups de queue dans l'arène, visa le marlin avec son trident et lui lança un rayon violet foudroyant. Le marlin éclata.

– Pouah ! du marlin haché ! s'écria Pascal enchanté par le spectacle.

Sa sœur, avec un air dégouté, lui donna un coup de queue pour qu'il se taise.

Marguerite regarda dans la direction du blessé et découvrit que des sirènes-soignants l'amenaient. Du sang colorait l'eau autour d'eux. Marguerite frissonna. Jamais elle ne pourrait exercer ce métier.

Neuf autres concurrents lui succédèrent et affrontèrent les grands poissons. Deux d'entre eux attrapèrent le marlin mais ne purent le retenir plus de quelques secondes, trois tinrent le coup un peu plus de cinq minutes et les quatre autres obtinrent des durées variant entre six et dix minutes. Combien de temps Hosh avait-il tenu bon ? L'aspirante fut vite fixée.

Le roi Simon avança dans l'arène accompagné d'un juge. Celui-ci approcha de sa bouche un coquillage porte-voix et appela trois sirènes.

Hosh était du nombre. Il reçut de la part du roi une petite bourse de cuir suspendue à une magnifique ceinture de peau de baleine gravée, qui se portait autour des hanches. Le jeune sirène avait remporté la troisième place. Le public chanta avec force ses félicitations. Marguerite, suivie de Pascal, Mobile et Pascale, s'élança pour rejoindre son frère.

– Bravo, Hosh ! lui cria-t-elle par-dessus le bruit de la foule..

– T'as vu ça ? rit-il, très fier de sa performance, en tapotant sa petite bourse qui contenait des perles. Je vous offre à dîner !

En attendant le début de la compétition à laquelle Jessie participait, les cinq amis allèrent observer les joutes des adultes. Pascale et Hosh recevaient des félicitations de plusieurs Lacatariniens et serraient beaucoup de mains.

Au deuxième chant de la mi-journée, ils revinrent vers les compétitions pour les jeunes et trouvèrent des places près de l'arène des duels. Il s'agissait d'un très vaste terrain entouré d'une barrière protectrice aussi transparente que du verre.

– C'est pour éviter que des éclairs de tridents ne blessent les spectateurs, expliqua Mobile.

Les noms des huit concurrents étaient gravés sur une grande pierre. Ils s'affrontaient deux par deux jusqu'à ce qu'il ne reste qu'un vainqueur.

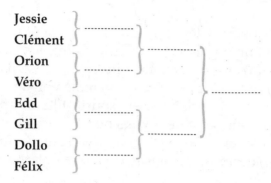

| Jessie |
| Clément |
| Orion |
| Véro |
| Edd |
| Gill |
| Dollo |
| Félix |

Marguerite observa un moment Jessie. Elle s'exerçait à faire rougir les dents de son trident. L'adolescente remarqua qu'un sourire subtil illuminait les traits de sa cousine. « Ce n'est pas normal, pensa Marguerite qui considérait que Jessie aurait dû être plus nerveuse. Que prépare-t-elle ? » Elle scruta la foule à la recherche de Jack. Elle finit par le découvrir quelques mètres plus bas, près de l'arène.

Jessie et Clément, son adversaire, s'avancèrent au centre de l'arène. Le silence se fit graduellement dans l'assistance. Ils se positionnèrent à une trentaine de mètres l'un de l'autre, saluèrent les juges en descendant de quelques coups de queue, puis se firent face. Lorsqu'un son aigu annonçant le début de la joute retentit, ils se mirent à tourner en rond en s'observant. On aurait dit une danse lente durant laquelle chaque participant analysait et soupesait les mouvements de l'autre.

Soudain, Jessie tendit brusquement le bras et un rayon jaillit de son trident. Presque simultanément, un autre fusa de celui de Clément. Lorsque les deux éclairs se percutèrent, un bruit de tonnerre éclata. Jessie sourit. Elle fit apparaître une série de rayons de son trident et les envoya en rafale vers son adversaire. Celui-ci les para tous. Le sourire de Jessie s'élargit.

– Elle teste ses défenses, apprécia Hosh.

– Elle est dans son élément, ironisa Pascal.

Le jeu augmenta en vitesse et en force, puis s'arrêta. Les deux adversaires s'observaient. Qui tirerait le premier ? Jessie se déplaça doucement de façon à ce que son frère se retrouve dans le champ de vision de Clément. L'attention de celui-ci fut détournée une fraction de seconde. Ce fut suffisant pour que Jessie en profite. Elle lança un rayon qui l'atteignit au coude, mais il ne lâcha pas son arme.

À trois reprises, l'aspirante parvint à toucher son adversaire. Marguerite remarqua que chaque atteinte correspondait à un moment où l'attention de Clément était détournée vers Jack. Lorsque Jessie le toucha pour la quatrième fois, le choc propulsa Clément de quelques coups de queue vers l'arrière. Un cri retentit dans l'assistance. Il provenait de la jeune sirène qui discutait et riait avec Jack quelques secondes plus tôt. De façon toute naturelle, le jeune homme passa son bras autour des épaules de sa compagne afin de la rassurer. Marguerite vit Clément virer au rouge et serrer les dents. Elle commençait à comprendre. À qui son cousin pouvait-il bien faire la cour ? La sœur de Clément ? Sa petite amie ? Une chose était certaine, Jessie savait comment en profiter et c'est pourquoi elle plaçait volontairement son adversaire dans une position qui détournerait son attention.

Son adversaire semblait ne plus vouloir se laisser déconcentrer et il attaqua Jessie avec férocité. Celle-ci para tous ses coups en ramenant continuellement Clément vis-à-vis de Jack. Le jeune sirène ne put s'empêcher de regarder à nouveau vers les spectateurs. Ce geste lui fut fatal. Jessie toucha directement la main qui tenait le trident et Clément le laissa tomber dans un cri de douleur. Jessie venait de remporter la première des trois manches menant à la victoire.

À la fin des trois autres combats de la première manche, les concurrents éliminés étaient tous blessés. Même Edd, un des gagnants, avait au bout de sa nageoire caudale une blessure sanguinolente qui demandait des soins immédiats.

C'était à nouveau le tour de Jessie d'entrer dans l'arène et elle s'avançait déjà sous le dôme protecteur. Elle souriait franchement cette fois. « Que manigance-t-elle encore ? » se demanda Marguerite. Elle en eut une bonne idée lorsqu'un grand sirène derrière elle lança à son compagnon :

– Orion doit fulminer ! Concourir contre une fille ! Je suis persuadé qu'il ne la considère pas de taille à se battre contre lui. Il pense sûrement être capable de la désarmer en un clin d'œil.

– Ouais, lui qui milite pour que les tridents ne soient maniés que par des sirènes-mâles...

« Et voilà ! pensa Marguerite. Jack n'aura même pas à intervenir. Jessie est parfaitement capable de rendre fou de rage ce genre d'individu en quelques secondes. » Ce qui se déroulait dans l'arène donnait justement raison à la jeune fille. La distance, le dôme protecteur et le bruit ambiant empêchaient l'adolescente de comprendre ce que sa cousine criait à son adversaire, mais elle constatait qu'Orion avait les traits tendus et ne répondait pas.

Le signal annonçant le début du duel résonna et le jeune sirène attaqua immédiatement la bavarde. Jessie para son coup et éclata d'un grand rire. Il en fut de même pour les coups suivants. Même lorsqu'il la blessa, elle ne se départit pas de son sourire. Les éclairs provenant du trident d'Orion commençaient à changer de couleur, signe indiscutable qu'il augmentait sa force de frappe. Pourtant, le jeune sirène était déconcentré et visait de moins en moins bien. Jessie dansait dans l'arène, faisant mine d'ignorer les attaques. Elle évitait les coups avec adresse et ne ripostait jamais.

– Elle est magnifique, murmura Mobile.

Cette remarque fit tiquer Marguerite même si elle devait donner raison au prince. Sa cousine, telle une déesse de l'océan armée d'un trident, était superbe au milieu de tous ces éclairs.

Sans crier gare, Jessie s'immobilisa, tendit son arme devant elle comme si elle était le prolongement de son bras et lança un rayon violet. Orion ne s'y attendait pas et riposta avec une seconde de retard. Le puissant rayon de Jessie frappa le sien à environ un mètre de son corps. Le bruit fut assourdissant et Orion fut projeté contre la paroi du dôme protecteur. Tandis qu'il flottait dans l'eau, inconscient, son trident coulait à pic. Jessie salua la foule d'une révérence. Théâtralement, sous les rires amusés du public, elle se tourna ensuite vers les deux concurrents suivants et fit de même.

À la fin de l'autre combat de la deuxième manche, un des juges annonça une pause de trente minutes avant la joute finale. Dès que l'information fut donnée, Marguerite vit Jack quitter sa place et nager vers le haut. Lorsqu'il eut dépassé la foule, il prit le chemin des terrains de tournois pour adultes. Devait-elle le suivre ? La jeune fille était persuadée qu'il préparait quelque chose. Au cours de la dernière heure, elle avait acquis la conviction que Jessie et lui avaient pris des informations sur chacun des participants et qu'ils s'en servaient pour aider l'aspirante à triompher.

— Je reviens, lança-t-elle à ses amis, volontairement laconique.

Elle suivit Jack de loin, mais celui-ci nageait de plus en plus vite. La jeune fille accéléra, essayant de ne pas le perdre de vue. Il s'approcha des comptoirs de restauration et s'arrêta devant l'un d'eux pour parler à la sirène qui y travaillait. Elle fouilla dans un char derrière elle et lui tendit un sac de cuir. Jack lui remit quelque chose en retour et reprit sa route vers le tournoi. Qu'y avait-il dans ce sac ? Elle était convaincue que c'était un objet essentiel à la victoire de Jessie. « Dois-je tenter de le lui ravir ? » se demanda-t-elle. Le dernier combat allait bientôt commencer. Qu'avait-elle à perdre si elle se trompait et si ce sac ne contenait en réalité qu'une banale collation ?

Elle se rapprocha de Jack, qui avait ralenti, et se cacha derrière un couple de sirènes à quelques coups de nageoires de son cousin. L'affrontement débuta entre Jessie et son nouvel adversaire, Félix. Les éclairs fusaient de part et d'autre. Marguerite gardait les yeux rivés sur les gestes de Jack. Il ouvrit le sac et fit mine d'y plonger la main. Un rayon de trident lancé contre la paroi de protection près de lui arrêta son geste. Il referma le sac. L'adolescente ne regardait pas l'arène. Était-ce Jessie qui avait averti Jack d'attendre ? N'y tenant plus, elle descendit de quelques coups de queue et nagea sous les spectateurs. Jack ne prêtait pas attention à ce qui se passait hors de l'arène. Marguerite se positionna sous son cousin. Elle tendit les bras bien haut, se propulsa, agrippa le fond du sac qui glissa des mains de Jack et redescendit vers le sol.

Elle renversa le contenu du sac et eut la surprise de voir trois crabes s'en échapper. Ils tombaient vers le sol lorsque Jack la rejoignit.

– Des crabes vivants ? Drôle de collation ! s'exclama Marguerite.

– Quel est ton problème ? rugit Jack en s'élançant vers le crabe le plus près de lui.

– Laisse-moi deviner, siffla-t-elle. C'est l'allié naturel de Félix ?

– Tais-toi, cracha Jack qui craignait que certains spectateurs surprennent leurs propos.

– Que comptais-tu faire ? Les martyriser en espérant que Félix ressente aussi leur souffrance ?

– ...

– Vous êtes pitoyables, ta sœur et toi, articula Marguerite. Cette compétition doit se gagner honnêtement.

– Tu me paieras ça, promit-il.

Il remonta au milieu des spectateurs. La jeune fille avait le cœur qui battait au double de sa vitesse normale. Elle s'assura que les crabes avaient disparu et remonta elle aussi. Au même moment, Jessie tentait de parer aux rayons que lui lançait Félix. Elle y parvint de justesse et monta rapidement de plusieurs coups de queue, visiblement essoufflée. Félix

146

lança immédiatement un nouveau rayon qu'elle évita en faisant une magnifique roulade vers l'arrière, digne du Cirque du Soleil. Cela sembla lui donner une idée et, à l'aide d'acrobaties, elle réussit non seulement à maintenir les rayons de son adversaire à distance, mais également à l'attaquer. D'un mouvement du poignet, Jessie envoya un rayon circulaire vers Félix. En entendant l'exclamation qui émanait de la foule, Marguerite déduisit qu'il devait être particulièrement difficile de résister à ce genre d'attaque.

Jessie leva à nouveau son trident et se prépara à frapper. Contre toute attente, Félix fit de même et leurs rayons se croisèrent. Lorsque le faisceau du sirène changea de couleur pour passer graduellement du bleu au vert, le bras de la jeune fille se mit à trembler. La concentration des deux rivaux était à son maximum. Félix augmenta à nouveau l'intensité de son rayon et réussit à percuter le trident de Jessie qui, sous l'impact, fut projeté au loin.

Le roi Simon descendit ensuite dans l'arène et remit au vainqueur une bourse et un trident miniature. Jessie reçut également un trident miniature, mais d'une couleur différente. Lorsque les spectateurs commencèrent à se disperser, elle rejoignit son frère et les autres aspirants.

– Je t'expliquerai, chuchota Jack, en réponse au regard noir que lui lançait sa jumelle.

8

Urgence

La semaine qui suivit le tournoi de tridents se déroula de façon agréable. Les aspirants furent conviés à des réunions, des déjeuners protocolaires et des visites guidées. Mobile les accompagnait presque partout. Seul fait notable, Jack faillit faire une crise cardiaque lorsqu'il découvrit que la sculpture de Diou représentant Marguerite avait été apportée au palais et placée à deux pas de sa chambre.

Étant donné que le temps était compté avant l'élection des futurs souverains de Lénacie, maître Robin se devait de poursuivre son enseignement, même à l'extérieur de la cité. Au grand dam des couples d'aspirants, qui auraient préféré profiter d'un petit répit. Il imposait donc aux jumeaux des séances quotidiennes d'étude. Il concentrait son enseignement sur la définition des rôles et fonctions des souverains de Lénacie. Il leur transmettait pêle-mêle des notions de diplomatie, de droit et de gestion de personnel. Il enrichissait également leurs connaissances de la mer et de ses innombrables habitants. À leur grande surprise, il insista pour que Marguerite, Pascal et Jack apprennent à se servir d'un trident. Il estimait important qu'ils sachent se défendre dans l'océan.

– C'est aussi un excellent exercice de maîtrise de soi, répétait-il constamment.

Cet apprentissage s'avérait beaucoup plus ardu que Marguerite l'aurait cru. Il lui fallut plusieurs heures avant de simplement réussir à faire rougir les dents de son arme. Jack et Pascal peinaient autant qu'elle.

– Quand pourrai-je apprendre à communiquer avec un requin plus dangereux ? demanda Hosh ce jour-là.

À leur arrivée à Lacatarina, maître Robin avait appris que l'allié naturel de Hosh était le requin. Il avait donc fait en sorte que le jeune homme développe ses aptitudes de communication avec celui-ci. « Tu as besoin d'entraînement, lui avait dit maître Robin. On ne peut pas, du jour au lendemain, comprendre son allié. On ne doit pas le dominer mais ne faire qu'un avec lui. Notre allié naturel est le prolongement de nous-mêmes dans l'océan. Je t'ai trouvé un petit requin roussette. Lorsque tu seras habile à communiquer avec lui, nous passerons au requin-hâ ou au requin léopard, qui est beaucoup plus gros. Il mesure environ trois mètres, mais il est inoffensif, donc plus facile à manier. Il se nourrit exclusivement de crustacés, de coquillages et de petits poissons. Il vit généralement dans l'océan Ancia, mais je connais quelqu'un qui pourrait t'en procurer un. »

– Commence par être en parfaite communion avec tes petits requins, conseilla maître Robin en réponse à la demande de Hosh. Ensuite, nous verrons... Il est important, pour notre sécurité à tous, de ne pas sauter d'étape.

Marguerite regarda maître Robin du coin de l'œil. Elle devait, elle aussi, trouver un moment pour s'exercer en secret. L'été précédent, la jeune fille avait découvert qu'elle et Hosh partageaient le même allié naturel et qu'ils le commandaient ensemble. Ils avaient décidé qu'il valait mieux garder cette information pour eux. Seuls sa mère et Dave étaient au courant. Comme leur père avait légué à Marguerite le pouvoir de communiquer avec les dauphins, elle pouvait facilement prétendre que son allié naturel était les delphinidés.

Le matin du jour suivant, maître Robin les entretint sur la généalogie des souverains de leur royaume. Marguerite trouva la leçon ardue. L'été précédent, Gab lui avait déjà expliqué que, pour régner, elle devait avoir un jumeau et au moins un ancêtre qui avait été souverain parmi les quatre générations précédant la sienne.

— Prenez l'exemple de Céleste et Quillo, leur fit remarquer le maître. Ils peuvent participer à la course à la couronne parce que leur arrière-arrière-grand-mère était la reine Éva. Toutefois, s'ils ne remportent pas les épreuves, que se passera-t-il avec leurs enfants ?

— Ils ne pourront pas participer à la prochaine sélection de souverains, soupira Pascale.

— Exactement, reprit le vieux maître. Leurs enfants, même s'ils sont jumeaux, ne pourront plus remplir la deuxième condition.

Au cours de l'exercice, Marguerite fit une autre constatation qu'elle s'empressa de confier à son frère lorsqu'ils furent seuls.

— Regarde, Hosh ! Depuis cinq générations, c'est toujours deux des enfants d'un des souverains qui accèdent au trône. Penses-tu que tout ça est arrangé ?

– Que quoi est arrangé ? s'enquit-il, occupé à nourrir son petit requin.

– Les épreuves, la succession...

Cette pensée attristait beaucoup Marguerite. Elle était fière d'appartenir à un peuple qui, bien qu'ayant un régime politique de type monarchique, déterminait parmi ses descendants ceux qui se révélaient les plus aptes à régner.

– Je l'ignore, avoua Hosh, à son tour songeur. Ça m'étonnerait beaucoup que les épreuves de l'an passé aient été trafiquées. Dave et Occare s'en sont sortis aussi bien que nous.

Marguerite détourna les yeux de son frère, maintenant occupé à tirer d'un sac des vers blancs qu'il donnait à manger à son requin. Elle pouvait même entendre le requin roussette mastiquer les lombrics... Vraiment dégoûtant !!!

– Si les choses sont arrangées, reprit-il lentement, ça signifie que, d'une manière ou d'une autre, les prochains souverains seront nos merveilleux et si aimables cousins ou nous.

Marguerite demeura songeuse quelques instants. Si ce qu'ils venaient de découvrir était vrai, elle était beaucoup moins libre qu'elle le pensait. Jusqu'à maintenant, elle participait aux épreuves sans avoir décidé si elle voulait vraiment faire sa vie sous l'eau. L'adolescente se disait qu'elle avait tout son temps. Mais si tout était déjà joué d'avance...

— Toi, au moins, tu as le choix ! lança Hosh avec une pointe de colère.

— De quoi parles-tu ? l'interrogea candidement Marguerite.

— Tu peux retourner chez les humains... au soleil... avec tes deux pieds... et, surtout, bien loin de Jack et Jessie..., laissa-t-il tomber tristement. Moi non plus, je ne sais pas si je veux régner et ne plus avoir de temps pour mes poissons, mais une chose est certaine, me faire gouverner par ces deux murènes malhonnêtes et antipathiques... JAMAIS !

Sur ce, il sortit précipitamment de la chambre de Marguerite. Les paroles de son jumeau l'avaient ébranlée. Comment en était-elle venue à avoir un lien si fort avec lui en si peu de temps ? Il avait lu dans ses pensées sans se tromper et elle avait entendu beaucoup plus dans ses paroles que ce qu'il avait réellement avoué. Il l'enviait et il avait peur.

Marguerite eut soudain une idée pour remonter le moral de son frère. Elle prit un grand sac et sortit en douce du château.

* *
*

Le lendemain matin, avant que les activités reprennent dans le château, Marguerite se faufila jusqu'à la chambre de Hosh. Là, elle s'assura qu'il dormait profondément, puis régla le courant d'eau au maximum. Elle ouvrit ensuite l'immense sac qu'elle avait apporté et répandit dans le courant qui s'amplifiait les feuilles d'algues et tous les petits poissons bleus et blancs qui s'y trouvaient. Elle sortit rapidement de la pièce en riant. Elle imaginait la tête qu'il ferait en ouvrant les yeux et en se croyant projeté dans une forêt de kelps. Elle se promit de lui révéler au déjeuner que c'était elle, la coupable.

Environ deux heures après avoir commis son méfait, Marguerite se rendit à la salle à manger principale, où elle prit tranquillement son premier repas de la journée. Lorsque son frère apparut, elle lui adressa son plus beau sourire.

– As-tu bien dormi ? se renseigna-t-elle.

155

– Très bien, mais j'ai dû me tromper en réglant le courant d'eau de ma chambre hier soir, car il était vraiment très fort ce matin. Je crois même que je vais devoir aller visiter la chambre de Mobile, conclut-il d'un air penaud.

Le sourire de Marguerite perdit un peu de son éclat.

– Pourquoi donc devrais-tu aller dans la chambre de Mobile ?

– Eh bien, je pense qu'une partie de mes effets personnels s'y sont retrouvés, avoua Hosh.

Avait-elle oublié de refermer la porte en quittant la chambre de Hosh ? Elle aurait juré que non. Et où pouvait bien se situer la chambre de Mobile ?

– Comment tes choses auraient-elles pu se retrouver dans sa chambre ? demanda-t-elle en mastiquant laborieusement un morceau de racine de clipse pour empêcher son visage de prendre une expression coupable.

– Oh ! j'ai laissé ouvert l'espace communi-cant entre nos deux chambres, expliqua Hosh. Cette ouverture sert à une meilleure hydrogé-nation des pièces, donc le courant y est dirigé.

Comme, ce matin, il me manque certaines choses, je pense qu'elles ont dû être transportées dans sa chambre.

Marguerite blêmissait à vue d'œil. Ce serait donc Mobile qui se réveillerait avec des feuilles d'algues et des poissons tout autour de lui !

– Pourquoi n'y es-tu pas allé tout de suite ? s'étrangla-t-elle.

– Parce qu'il dort encore ! Tu ne veux tout de même pas que je le réveille en sursaut ? Pense un peu à notre rôle diplomatique.

Marguerite ne faisait que ça ! Dans quel bourbier s'était-elle mis les nageoires ? Maintenant, on croirait qu'elle attaquait le futur souverain à coup de minipoissons. « Bravo, Marguerite ! » se sermonna-t-elle.

Si elle ne s'était pas sentie si coupable, elle aurait sans doute remarqué le sourire que son jumeau avait de plus en plus de mal à réprimer. Elle se leva lentement et prétexta être en retard pour une leçon avec maître Robin. Lorsqu'elle sortit par la porte principale, tandis que maître Robin entrait par une autre, Hosh éclata d'un rire sincère.

Environ trois heures plus tard, il retrouva sa sœur en train de se morfondre dans la cour intérieure. Elle n'osait pas entrer dans le palais ni s'en éloigner.

– Que fais-tu ici toute seule ? lui demanda gentiment Hosh.

– Je réfléchis.

– Ah !...

Devant son silence, il se plaça à ses côtés et regarda dans la même direction qu'elle.

– Est-ce que, par hasard, tu réfléchis aux conséquences possibles d'un étouffement par feuilles d'algues ? Ou aux répercussions diplomatiques que pourrait entraîner le fait d'avoir réveillé le futur héritier de la couronne à l'aide de petits poissons-anges ?

Marguerite tourna vivement la tête vers son frère. Ce dernier continuait de fixer le jardin devant eux, mais un irrépressible sourire se dessinait lentement sur son visage.

– Tu savais que c'était moi ???

Pour toute réponse, le sourire de Hosh s'élargit.

– Depuis ce matin ?

Le sourire de Hosh atteignait maintenant ses oreilles.

– Et j'imagine que la chambre de Mobile n'a jamais été envahie par les feuilles d'algues ?

Les épaules de Hosh se mirent à tressauter silencieusement.

– Et tu m'as laissée m'inquiéter toute la matinée ?

Marguerite poussa un cri et sauta sur son frère pour lui asséner quelques claques amicales – mais bien méritées – sur le torse. Ils se chamaillèrent pour s'amuser, mais Hosh, bien qu'étant le plus fort, riait tellement qu'il lui était presque impossible de se défendre. Ce n'est qu'à bout de souffle qu'ils se calmèrent enfin.

– Entre toi et moi, tu as bien mérité de te faire un peu de mauvais sang, dit Hosh en gardant une distance d'un bras entre lui et sa jumelle, pour parer à une nouvelle attaque.

Marguerite devait bien admettre qu'il avait raison. Elle s'apprêtait à le reconnaître lorsqu'elle ressentit un besoin urgent et irrépressible de sortir de l'enceinte du palais.

– Suis-moi ! lança-t-elle à son frère d'un ton impérieux.

Elle se mit à nager le plus vite qu'elle put, franchit les limites du château et piqua au nord. Dans sa hâte, elle faillit percuter de plein fouet Diou, Mobile et ses deux cousins qui revenaient au château.

– Où allez-vous ? cria le prince.

– Quelqu'un est en danger ! expliqua Marguerite sans ralentir l'allure.

Les quatre jeunes sirènes suivirent les jumeaux sans plus de questions. Marguerite percevait l'urgence de la situation, mais elle ne pouvait en préciser la nature. Soudain, elle se sentit désemparée et paniquée. Elle avait conscience que ce n'était pas ses émotions qu'elle ressentait mais celles de quelqu'un d'autre. L'adolescente décida de les laisser la submerger de façon à atteindre l'endroit du drame plus rapidement.

Marguerite bifurqua brusquement et nagea à la verticale. Elle augmenta encore l'allure malgré une douleur croissante au côté droit. La jeune fille arrivait à la frontière de la cité. Elle hésita une seconde avant de traverser le mur de protection. Hosh profita de cette incertitude pour tendre la main et saisir l'extrémité de la queue de sa sœur. Il était à bout de souffle.

– Non, Marguerite ! l'avertit-il d'une voix impérative.

Elle plongea les yeux dans ceux de son jumeau. Spontanément, pendant qu'il la touchait encore et pour la première fois en l'absence d'un requin, elle se servit de leur lien unique et encore inexpliqué pour lui transmettre en bloc toutes les émotions qu'elle percevait depuis qu'ils avaient quitté la cour du château. Sous l'impact, Hosh la lâcha et, sans un regard vers lui, Marguerite traversa le mur transparent.

Ce qu'elle vit alors la bouleversa.

9

Ange

À quelques mètres d'elle, un magnifique dauphin gris tentait de défendre son petit contre un requin-taureau. Marguerite comprit immédiatement d'où provenaient les sensations qu'elle ressentait. La mère du petit saignait abondamment. La panique la gagnait et elle transmettait cette émotion à Marguerite. Elle tentait de sauver son rejeton en le gardant près de son flanc gauche. Le requin était déchaîné.

– HOSH ! cria-t-elle de toutes ses forces.

À l'appel de la jeune fille, son jumeau et Diou ne firent ni une ni deux et traversèrent à leur tour le mur de protection, laissant derrière eux un Mobile incapable de désobéir à l'interdiction paternelle de franchir l'enceinte de la cité. Puis Hosh tendit la main à sa sœur. Ensemble, sans échanger un mot, ils se concentrèrent pour ordonner au requin de partir. Il leur fallut de longues minutes pour y parvenir. Marguerite sentait des sueurs froides lui courir le long de l'épine dorsale. Elle frissonnait tout en n'ayant jamais eu aussi chaud.

Lorsque le requin s'éloigna enfin, le dauphin femelle, presque au bout de son sang, tourna vers eux des yeux fous. Elle semblait vouloir les attaquer. Marguerite se libéra de la main de son frère et poussa des sons aigus qui surgissaient de sa mémoire. Elle savait les avoir déjà entendus auparavant. Cette mélopée calma le dauphin qui chercha à toucher son petit. Marguerite s'approcha lentement. Lorsqu'elle posa sa main sur le rostre de la mère, cette dernière, complètement épuisée, ferma ses grands yeux tristes et se laissa couler sans vie. Le petit voulut suivre sa mère, mais Marguerite le retint, le cœur serré. Elle n'avait jamais vu un si petit dauphin. Il ne devait pas avoir plus de quelques mois. N'ayant pas respiré depuis de longues minutes, il était à bout de souffle.

Marguerite lui parla doucement pour le rassurer. Étant un mammifère, le delphineau devait respirer à la surface toutes les trois ou quatre minutes environ. Ils en étaient si loin ! L'adolescente devait rapidement fournir de l'oxygène au petit, sans quoi il risquait de se noyer. Hosh s'approcha d'eux et, ensemble, ils se tournèrent vers Diou qui avait assisté, impuissant, à toute la scène. La jeune fille allait lui demander comment ils devaient s'y prendre pour retourner au château lorsqu'une patrouille de gardes approcha. Ils furent encerclés et, sans dire un mot, les gardes leur indiquèrent le chemin de la cité. Sous bonne escorte, ils retraversèrent le dôme de brouillard.

Dès qu'ils eurent dépassé le mur de protection, ils se retrouvèrent pendant quelques instants dans une des bulles d'air créées par les aérodynamos de la cité. Ces machines avaient pour fonction d'extraire l'oxygène de l'eau afin d'en fournir aux mammifères, comme les dauphins et les tortues.

Le delphineau prit une grande inspiration. Il n'avait sûrement jamais été privé d'air aussi longtemps dans sa courte vie. Il eut un mouvement de panique lorsqu'il vit Marguerite s'éloigner de la bulle d'air. Plus sensible à cette détresse, un des gardes prit le temps d'emprisonner une grande quantité d'oxygène dans une toile qu'il tira de sa trousse de premiers soins. Il remit cet étrange ballon à Marguerite. Sentant qu'il pourrait respirer lorsqu'il en aurait besoin, le dauphin la suivit.

La jeune fille ne remarqua pas que Mobile et ses cousins ne les suivaient pas. Elle ne s'attarda pas non plus au fait qu'ils ne les avaient pas accompagnés au-delà de la barrière de protection. Elle ne s'inquiétait que de son protégé. Elle ressentait sa tristesse, sa nervosité et sa peur. Que pouvait-elle faire ? De quoi se nourrissait un si jeune dauphin ? Buvait-il encore le lait de sa mère ? Que ferait-elle de lui ?

Pendant qu'elle se posait toutes ces questions, ils arrivèrent au château et les jumeaux furent conduits directement à la chambre de Marguerite.

– Attendez ici, ordonna le chef des gardes avant de quitter la pièce.

Marguerite se tourna vers son frère.

– Que se passe-t-il ? demanda-t-elle.

– Je n'en sais rien, mais je crois qu'il serait plus sage de ne pas bouger d'ici pour l'instant.

– Je suis vraiment désolée, s'excusa doucement Marguerite tandis que le delphineau se glissait entre ses bras et commençait à se calmer.

Hosh sourit en regardant sa sœur qui ne semblait pas savoir quoi faire. Après tout, même très petit, ce dauphin était presque aussi grand qu'elle.

– Tu devrais t'installer dans l'assur. Il a l'habitude de dormir collé sur sa mère et comme elle n'est plus là, je pense qu'il t'a adoptée. Il est épuisé et il a faim.

– Tu communiques avec les dauphins maintenant ? s'exclama Marguerite, surprise.

– Non, j'observe ! Et je peux te dire que ce delphineau est beaucoup trop jeune pour être séparé de sa mère.

Marguerite observa son protégé à son tour.

– Et tu sais quoi faire ? s'enquit-elle, pleine d'espoir.

Avant que Hosh ait pu répondre, Maï entra dans la chambre.

– Je dois vous aider à vous préparer pour rencontrer le roi, annonça-t-elle.

Lorsqu'elle vit Marguerite dans l'assur avec un petit dauphin sur elle, elle ne put s'empêcher de s'exclamer :

– Oh !!! Qu'il est petit ! Où l'avez-vous trouvé ? Où est sa mère ? s'informa-t-elle en fouillant du regard la pièce. Est-ce que le dauphin est votre allié naturel ?

167

– Oui, mentit Marguerite sans hésiter.

Le dauphin se glissa hors des bras de Marguerite et, instinctivement, sans se réveiller, monta jusqu'à la bulle d'air que Marguerite avait laissé s'échapper dans la chambre. Il prit une grande inspiration et redescendit naturellement jusqu'à Marguerite. Cette dernière sembla surprise de ce comportement, mais pas son frère. Bien qu'ayant beaucoup lu sur ces mammifères au cours de l'hiver, elle ne s'était jamais demandé comment ils respiraient en dormant. Elle venait d'avoir sa réponse : ils remontaient tout simplement à la surface.

Lorsque, quelques minutes plus tard, un garde écarta le rideau d'algues, Hosh semblait aussi inquiet que Marguerite. Il se dirigea néanmoins vers sa jumelle et l'aida à sortir de l'assur, le dauphin reposant toujours entre ses bras. Hosh reprit la toile du garde et y enferma à nouveau la bulle d'air. Maï leur souhaita discrètement bonne chance lorsqu'ils passèrent devant elle.

On les conduisit auprès du roi, dans la salle du trône. Marguerite aperçut d'abord Pascal et Pascale, qui lui souriaient avec gentillesse, puis l'évaluateur Mac qui fronçait le front, soucieux, ainsi que Jessie et Jack qui la regardaient d'un air réprobateur.

— Vous avez transgressé nos lois, commença sévèrement le roi. Il est strictement interdit à quiconque de sortir de l'enceinte de Lacatarina sans permission et sans protection. En quittant la zone sécurisée, c'est notre sûreté à tous que vous avez mise en péril.

— Jamais nous n'avons eu l'intention de mettre la vie de quiconque en danger, c'est même plutôt l'inverse. Nous aimons beaucoup votre cité et nous respectons ses habitants qui nous ont si gentiment accueillis. C'est parce que je croyais pouvoir aider l'un d'eux que je me suis précipitée au-delà de la barrière de brume.

— Vous croyiez *aider* l'un d'eux ? répéta un sirène âgé près du roi.

— En effet, soutint Hosh. Ma sœur a le pouvoir de communiquer avec les dauphins. Lorsqu'elle a ressenti cet appel à l'aide, elle n'a pas fait la différence entre cela et l'appel d'un sirène. Elle s'est élancée sans hésiter... et je l'ai suivie, conclut-il.

— Pfff ! entendit Marguerite derrière elle.

Même sans les voir, elle était presque certaine que cette onomatopée provenait d'un de ses cousins.

– Elle a entendu l'appel d'un dauphin à plus de deux kilomètres ? riposta un autre sirène également placé près du roi. C'est impossible ! déclara-t-il.

– C'est possible !!! rétorqua Hosh, avec vigueur. Majesté..., ajouta-t-il penaud.

Marguerite reprit la parole.

– J'étais dans le jardin intérieur avec Hosh lorsque j'ai entendu appeler à l'aide. Je me suis précipitée hors des murs du palais afin de voir qui pouvait avoir besoin de nous. Ce n'est que mon deuxième été dans l'océan, se justifia-t-elle. Et mes gardiens sur terre ont fait de l'excellent travail. Avant l'été dernier, je ne savais même pas que j'étais une syrmain. En fait, je ne savais même pas que coulait dans mes veines le sang d'un peuple aussi grand et légendaire. Je ne maîtrise pas encore très bien mon pouvoir de communication avec mon allié naturel. Je suis vraiment désolée... Quoi qu'il en soit, l'appel venait de très haut. Lorsque je me suis aperçue qu'il provenait de l'autre côté de la barrière, j'avoue que j'ai hésité... Mon frère a tenté de me retenir, mais la détresse de cet être qui m'implorait était telle que je ne pouvais pas l'abandonner à son sort.

Diou regardait Marguerite. Il était d'un naturel extrêmement gêné et il n'y avait que dans ses sculptures qu'il arrivait à exprimer les émotions qui l'habitaient. Avant d'entrer dans la salle d'audience, son père lui avait formellement interdit de prendre la parole. Mais Diou ne pouvait pas laisser les choses aller ainsi.

– Majesté, puis-je avoir la permission de parler ? sollicita-t-il timidement.

D'un signe de la main, le roi arrêta le geste de désapprobation du père de Diou.

– Parle, mon garçon.

Il avoua avoir lui-même franchi la barrière en même temps que les jumeaux pour leur prêter main-forte. Puis il fit l'éloge de leur courage et de leur grande maîtrise de la situation. Il décrivit comment Hosh, sans craindre pour sa vie, avait ordonné au requin de partir. Comment Marguerite, en faisant fi de l'air féroce et un peu fou de la mère dauphin, l'avait amadouée et avait pris son petit sous sa protection. Il raconta la mort de la mère et le sauvetage de son rejeton avec une telle éloquence qu'on aurait pu entendre une tortue nager. L'assistance était littéralement suspendue aux lèvres du jeune sirène.

Pendant qu'il terminait son récit, tous les yeux étaient tournés vers le delphineau que Marguerite tenait toujours dans ses bras. Le petit choisit ce moment pour se réveiller. Il échappa à l'étreinte de Marguerite et observa nerveusement les lieux. Il cherchait sa mère. Ne la voyant pas, son regard se posa à nouveau sur Marguerite. Le cœur de la jeune fille fondit et elle siffla doucement, d'une manière audible et mélodieuse. Le delphineau revint vers elle.

– À la lumière de ce qui nous a été raconté, reprit le roi d'un ton nettement radouci, je ne peux que saluer votre bravoure. CEPENDANT, il est impératif que vous compreniez que cet appel aurait pu être un piège et que vous auriez pu, bien qu'innocemment, mettre en danger notre communauté. Le mur de protection est là dans un but précis : nous protéger des humains, qui ne peuvent le traverser et nous voir. Néanmoins, en raison du courage dont vous avez fait preuve, de l'excellente maîtrise de vos capacités de communication et de l'empressement de Marguerite à secourir son allié naturel, je tiens à mettre à votre disposition notre équipe de recherche en santé animale afin de vous aider à prendre soin de ce magnifique orphelin.

– Je vous remercie infiniment, sire, assura Marguerite. Soyez convaincu que mon frère et moi ferons tout ce qui est en notre pouvoir pour vous remercier de votre clémence et de votre soutien d'ici la fin de notre séjour.

*   *
*

En milieu d'après-midi, Pascal, Pascale, Hosh et Marguerite se promenaient dans la cour intérieure du château. Le delphineau avait découvert que le faux ciel au-dessus du palais était en grande partie constitué de bulles d'oxygène que les aérodynamos y libéraient et il faisait des allers-retours entre le plafond et Marguerite. Pascal était en train de mimer la réaction ahurie de Jack lorsque le roi avait changé son fusil d'épaule et avait félicité Marguerite et son jumeau pour leur bravoure, plutôt que de les punir pour avoir transgressé une loi. Un syrmain s'approcha d'eux avec empressement. « Décidément, pensa Marguerite en le voyant avancer, ce n'est pas ce qu'on appelle une journée reposante ! »

– Bonjour. Je m'appelle Ran et je fais partie de l'équipe de recherche en santé animale, dit-il en regardant alternativement Marguerite et le bébé dauphin. On vient de m'annoncer que vous aviez adopté un delphineau et que vous auriez probablement besoin de mes services.

– En effet, répondit Marguerite avec un sourire soulagé. Je n'ai pas beaucoup de connaissances quant à la façon dont il faut s'en occuper.

– C'est très compliqué de prendre soin d'un dauphin, annonça-t-il d'emblée. Il est important de savoir que ce petit était certainement encore allaité. Généralement, les bébés dauphins le sont jusqu'à douze ou dix-huit mois. Dans un premier temps, le problème de la nourriture se pose donc. De plus, le delphineau est extrêmement attaché à sa mère. C'est elle qui assure son éducation. Pendant près de quinze ans, en plus de lui prodiguer des soins attentifs et de l'affection, elle lui enseigne le langage sonore et visuel, les techniques de chasse et l'utilisation de son sonar. Elle lui apprend aussi à reconnaître les dangers et à les éviter.

– Pendant quinze ans ? répéta Pascal, estomaqué.

– En fait, continua Ran, imperturbable, l'apprentissage s'effectue principalement par mimétisme : le delphineau reproduit les gestes, les postures et les mouvements de sa mère.

Marguerite était dépassée par ce qu'elle entendait ! Et comme si ce n'était pas assez, Ran lui révéla aussi que les dauphins vivaient en communauté. Ils avaient un langage à eux, légèrement différent d'une communauté à l'autre. Les petits avaient un nom qu'ils apprenaient à prononcer et qui les différenciait les uns des autres.

– Peut-être pourrais-je le ramener à la surface ? réfléchit Marguerite à voix haute.

– Que voulez-vous dire ? s'inquiéta Ran.

– Je n'ai pas encore d'idée précise, mais il est si petit. Peut-être serait-il bien dans un centre pour dauphins ? En tout cas, on saurait prendre soin de lui, finit-elle, convaincue.

– On saurait prendre soin de lui !!! répéta Ran, manifestant ouvertement son indignation. Que connaissez-vous de ces grands aquariums ?

– À vrai dire... rien, avoua Marguerite. Ne servent-ils pas à éduquer la population terrestre ?

– Voilà le seul argument qu'ils ont trouvé pour justifier le fait d'enlever des animaux à leur milieu naturel ! Savez-vous qu'on affame les dauphins pour réussir à leur faire accomplir les prouesses qui enchantent tant les humains ? Savez-vous que les piscines chlorées les blessent ? Qu'ils deviennent agressifs et même dépressifs ? Qu'en mer, ils vivent plus de vingt-cinq ans, alors qu'en captivité, ils n'en vivent même pas sept ? Savez-vous qu'on ne baptise pas les delphineaux avant qu'ils aient un mois parce qu'ils atteignent rarement cet âge ? Et tout ça pour qu'une poignée d'humains se prennent pour des sirènes et nagent quelques minutes avec eux !!! C'est d'une cruauté !

Marguerite était secouée par ce discours. Elle ne connaissait rien aux aquariums pour grands mammifères et, en ce moment, son jugement était davantage celui d'une humaine que d'une sirène.

– Je n'en savais rien, admit-elle. Je croyais qu'on les traitait convenablement.

– Impossible ! Même avec de la bonne volonté, renchérit le syrmain, les dauphins ne sont bien que dans l'océan. C'est comme ça. Ailleurs, ils essaient simplement de survivre.

– Que vais-je faire alors ? s'inquiéta l'adolescente.

– Je ne peux vous conseiller sur ce point. Cette décision vous revient. Par contre, je peux vous aider si vous décidez de le garder.

Après quelques minutes passées à observer son dauphin, Marguerite demanda à Ran de lui donner un coup de pouce pour le nourrir en attendant qu'elle trouve une solution.

*   *

*

Dans la soirée, Marguerite décida de faire acte de présence au grand bal organisé pour l'anniversaire du roi. Elle ne voulait pas laisser son delphineau seul trop longtemps. Elle revêtit la robe d'humaine qu'elle avait apportée ainsi que les bijoux fournis par sa mère. Satisfaite, la jeune fille rejoignit son frère, qui l'observait de la tête au bout de la queue.

– Tu remets ça ? sourit-il. Je suis curieux de voir les réactions ! Allons-y !

Ils pénétrèrent dans la salle de bal et se dirigèrent aussitôt vers le trône royal afin de saluer le souverain. Comme la dernière fois, tous les yeux se tournèrent vers Marguerite et des murmures la suivirent. Cette fois-ci, cependant, elle n'en était pas gênée. C'était son cadeau pour le roi. Ce dernier sourit en la voyant.

– Il est temps que le bal commence, mon fils, décida-t-il.

Mobile, à droite de son père, avança vers Marguerite.

– M'accorderiez-vous cette danse ?

Marguerite eut un moment de panique. Comment valsait-on avec une queue de poisson ? Elle allait être la risée de tous. Elle accepta néanmoins, prit la main que lui tendait Mobile et ferma les yeux quelques instants en se laissant guider vers le centre de la pièce. Lorsqu'elle les rouvrit, l'air scandalisé de Jessie lui redonna du cœur au ventre.

* *

*

Lorsque la jeune fille se coucha, ce soir-là, elle était exténuée... Quelle journée ! Marguerite leva les yeux au plafond de sa chambre et observa son dauphin... Qu'allait-elle faire de lui ? Elle l'aimait déjà, elle le savait. La jeune fille l'appela d'un petit cri. Il la regarda d'un air triste et vint vers elle.

— Ta mère te manque, n'est-ce pas ? A-t-elle eu le temps de te donner un prénom ? lui demanda-t-elle. D'après Ran, c'est peu probable. Il t'en faut un, pourtant. Qu'est-ce que ça pourrait bien être ? Pas un nom de syrmain ou de sirène, ça, c'est sûr ! J'ai toujours trouvé que ça faisait bizarre de voir sur la même rue un chien et un petit garçon porter le même nom. Bon, est-ce que je t'en trouve un dans la Voie lactée ? Il y en a de très beaux.

Marguerite eut une pensée pour Céleste et elle se dit que ce ne serait pas tellement délicat de sa part. L'adolescente pensa que ce serait peut-être drôle de lui donner le prénom d'une chose qui n'appartenait qu'au monde terrestre.

178

Comme elle-même s'appelait Marguerite, elle ne pouvait pas lui donner le nom d'une fleur. Peut-être pourrait-elle l'appeler Caillou ou encore Plume ?

Pendant qu'elle réfléchissait, son dauphin se tourna et Marguerite remarqua une petite tache sur son dos. On aurait dit deux longues ailes. C'est alors qu'elle sut : ANGE ! Elle l'appellerait Ange. Elle prononça le mot à voix haute, puis en syrmain et, finalement, à l'aide d'un petit cri perçant. Ange se mit à tourner autour d'elle et à lui donner de petits coups de rostre. Il semblait aimer ce prénom.

Tout compte fait, la journée se terminait sur une note positive pour Marguerite... et pour Ange.

10

Le grand blanc

La dernière semaine des aspirants dans le royaume des mers du sud s'achevait. Marguerite et Hosh nageaient à toute vitesse vers la bibliothèque royale. Le roi les avait fait mander d'urgence. Lorsqu'ils pénétrèrent dans la pièce, maître Robin et Mac étaient présents. Pascal, Pascale, Jack et Jessie arrivèrent avant même que Marguerite et Hosh aient achevé leur révérence au roi. D'un air grave, celui-ci prit la parole.

– J'ai attendu le plus longtemps possible en espérant pouvoir régler la situation, mais ce n'est pas le cas. Je dois vous aviser que vous ne pouvez pas repartir. Depuis une semaine, un dangereux requin blanc rôde près d'ici. Il attaque les sirènes qui s'aventurent hors des murs de la ville. Il y a trois jours, j'ai dépêché cinq chasseurs pour l'abattre. Depuis, je suis sans nouvelles d'eux.

Marguerite gardait le silence. Le requin blanc est le plus grand et le plus dangereux de tous les prédateurs de l'océan. Il mesure entre trois et cinq mètres et ses dents, affilées comme des lames de couteau, ont près de soixante millimètres.

– Si je puis me permettre, Majesté, peut-être pourriez-vous confier à mon cousin Hosh la tâche de découvrir ce qui se passe, puisque le requin est son allié naturel, suggéra perfidement Jessie.

Le roi détailla lentement l'adolescent. Marguerite pouvait lire l'hésitation dans son regard. Il n'y avait aucun doute qu'il désirait trouver une solution, mais qu'il n'osait pas mettre en danger la vie d'un prétendant à la couronne.

– Regardez ce qu'il a accompli pour le delphineau de sa sœur, ajouta Jack. Il a été magnifique !

« Hum... trop de compliments ! songea Marguerite. Si Hosh refuse, ce sera mal perçu. S'il accepte, autant dire qu'on l'envoie à l'abattoir. »

– Il est vrai que Hosh a fait de très grands progrès dans la communication avec son allié, ces dernières semaines, souligna maître Robin.

– Je ne veux pas vous vexer, répliqua l'évaluateur Mac, mais Hosh se débrouille bien avec un requin roussette. On parle ici du requin blanc, le requin le plus puissant et le plus dangereux de tous les océans !

– Je pense pouvoir y arriver, Majesté, annonça l'aspirant, sûr de lui.

« Évidemment ! Pourquoi rester tranquille quand on peut jouer les héros ? » pensa sa jumelle.

– Très bien, trancha le roi. Dites-moi ce dont vous aurez besoin.

Hosh demanda quelques minutes de réflexion, aussitôt accordées par le roi Simon. L'adolescent se retira dans un coin de la pièce sous le regard amusé de ses cousins. Il fit signe à sa sœur de le rejoindre.

– Il te faut des gardes, déclara Marguerite avant même que son frère ait pu glisser un mot.

Il refusa d'un hochement de tête.

– Un requin blanc, Hosh ! Tu ne peux tout de même pas l'affronter seul !

– Mais nous serons deux, n'est-ce pas ?

– La question ne se pose même pas ! Cependant, nous serions plus en sécurité avec des gardes armés de tridents ! insista-t-elle.

– Le roi a déjà envoyé des chasseurs et ils ne sont toujours pas revenus.

C'était bien ce qui inquiétait Marguerite. Comment des adultes armés avaient-ils pu disparaître ? Le requin les avait-il dévorés ? Si oui, il devait être vraiment rusé pour les avoir déjoués. La jeune fille regarda son frère du coin de l'œil. Pour être honnête, l'adolescente prenait soudain conscience qu'elle doutait de ses capacités à épauler son jumeau. L'été dernier, Una lui avait dit qu'à sa connaissance personne ne pouvait contrôler deux alliés naturels à cause de l'énergie que requérait un tel pouvoir. Or, depuis que Marguerite avait découvert que c'était son père qui lui avait légué une partie de son pouvoir de communication avec les dauphins, le doute s'insinuait en elle. Possédait-elle un don avec les dauphins et un pouvoir de communication avec les requins ou disposait-elle de deux alliés naturels ? Et si c'était le cas, était-elle assez forte pour gérer les deux ?

– Que ferons-nous lorsque nous arriverons face au requin ? demanda-t-elle.

– Nous agirons comme l'été passé, en lui disant de s'arrêter. Cela avait bien fonctionné dans le bassin maudit.

– Et s'il ne s'arrête pas ? Tu m'as appris que les requins utilisaient leur museau et leurs dents pour repérer ce qu'ils ne connaissaient pas. Imagine qu'il décide d'utiliser ses puissantes mâchoires pour découvrir la petite syrmain que je suis, ne put s'empêcher de dire Marguerite avec un frisson.

Hosh poussa un soupir. Le frère et la sœur s'observèrent. L'adolescente songea à ses parents adoptifs. Que ne donnerait-elle pas pour pouvoir leur demander conseil en ce moment ! Que lui dirait son père Gaston ? Soudain, elle sut. Il fallait qu'ils y aillent seuls pour ne pas mettre d'autres vies en danger, mais en se protégeant efficacement le temps de savoir s'ils maîtrisaient ou non le requin.

– Sais-tu ce que les humains utilisent lorsqu'ils veulent entrer en contact avec les requins sans prendre de risques ? Une combinaison en cotte de mailles d'acier inoxydable ou une cage de protection, révéla-t-elle en réponse au signe de négation de son frère.

– Qu'est-ce que c'est ? demanda son jumeau.

– Le premier est un vêtement fait d'un métal très résistant. Il empêche le bras qui se fait mordre d'être broyé ou déchiqueté. Le second est une énorme cage dans laquelle les plongeurs se réfugient lorsque les requins s'approchent. Ils demeurent ainsi en sécurité.

– Très ingénieux, approuva Hosh, mais nous n'avons rien de semblable ici. À part un trident, rien ne nous protège des requins blancs.

– La solution fait assurément partie du monde sous-marin, réfléchit la jeune fille. Penses-tu qu'une carapace de tortue ferait l'affaire ?

– Non, les dents des requins combinées à la puissance de leurs mâchoires peuvent percer une carapace.

– Si des ingénieurs ont réussi à faire traverser l'océan Atlantique à des humains en moins de cinq heures, par la voie des airs, et à faire en sorte qu'on se parle et qu'on se voie en temps réel de l'Amérique à l'Australie, il y a sûrement un moyen pour être sans risques à proximité d'un requin blanc.

Hosh ne disait rien. Bien que ses connaissances du monde terrien eussent énormément évolué, il n'avait pas compris la moitié du discours de sa sœur.

– Je pense que j'ai trouvé la solution, déclara-t-elle brusquement. Les marlins bleus !

– Quoi ?

– Mais oui ! Ils sont bien dressés ici. Ils sont élevés dans la cité, tirent les chars et répondent à des directives simples. Ils sont extrêmement puissants. Le plus important, c'est qu'ils peuvent atteindre des vitesses de cent kilomètres par heure en traînant de lourdes charges. Quant au requin blanc, il nage à...

– Trente kilomètres par heure, compléta son jumeau.

– Ce qui signifie que si nous allons à sa rencontre avec un char tiré par un marlin bleu et que nous n'arrivons pas à contrôler le requin, nous pourrons le semer et revenir en sécurité dans la cité, s'enthousiasma Marguerite.

Marguerite et Hosh retournèrent auprès du roi et lui exposèrent leur plan.

Le monarque resta songeur quelques instants.

– Ainsi, vous voudriez y aller seuls ?

– Effectivement, admit Hosh. Nous croyons que c'est plus sage. Il sera plus facile pour nous...

je veux dire, pour moi, de communiquer avec le requin si je peux me concentrer totalement sans devoir essayer de protéger d'autres personnes.

– Pourquoi amènes-tu ta sœur, dans ce cas ? questionna Jessie, suspicieuse.

Marguerite vit que cette question prenait Hosh au dépourvu. Comme les jumeaux ne souhaitaient pas révéler qu'ils contrôlaient mieux les requins à deux, c'est elle qui prit la parole.

– Parce que j'ai refusé de le laisser partir sans moi, déclara-t-elle d'une voix catégorique.

– Vous êtes bien les dignes enfants d'Una ! s'exclama fièrement le roi.

*   *

*

Dès le lendemain matin, aidés d'un sirène-dresseur, Hosh et Marguerite choisirent un marlin parmi les plus rapides et les plus dociles. En effet, il fallait non seulement qu'il nage vite mais aussi qu'il écoute les directives des jumeaux au doigt et à l'œil. Tenant bien en main les rênes du char, les adolescents traversèrent le dôme de protection, à la rencontre du grand prédateur.

Ils avançaient lentement. Où se cachait le requin ? Les adolescents étaient nerveux. Ils avaient décidé de ne pas l'appâter. Maître Robin leur avait expliqué qu'un grand requin blanc a une ouïe et un odorat très sensibles. Il est capable de sentir une goutte de sang dans plus de quatre millions de litres d'eau et de repérer une proie à près d'un kilomètre de distance !

– On ne sera pas plus avancé, avait dit Hosh, si d'autres requins blancs sont attirés par l'odeur.

Les aspirants savaient que le requin serait difficile à repérer, car il se confondait avec les eaux sombres. En effet, la teinte gris noir de son dos lui fournissait le camouflage idéal dans les profondeurs. Les jumeaux comptaient donc surtout sur leur sens de la vibration pour détecter le grand blanc. Tous les sirènes possédaient ce sixième sens qui leur permettait de détecter les signaux électriques émis par les mouvements d'une créature marine.

Plutôt que de faire le tour de la cité, ils avaient décidé de commencer leur exploration par le nord.

– Tiens, prends les rênes, décida Hosh.

– Mais je ne sais pas conduire un marlin !

– Ce n'est pas compliqué. Il est tellement bien dressé et docile. Laisse-le filer et s'il accélère, tire doucement sur la corde, il ralentira.

– Et toi, que feras-tu ?

– Je vais allonger mon attache de façon à me laisser tirer derrière le char, expliqua Hosh en défaisant son bracelet de cuir de baleine qui le retenait à l'intérieur du véhicule.

– Pourquoi ? demanda Marguerite, surprise.

– Afin de surveiller ce qui se passe sous le char. Une des techniques de chasse du requin blanc est d'attendre que sa proie soit au-dessus de lui. Des profondeurs, il accélère l'allure et s'élance comme une torpille. Il heurte sa prise par-dessous. L'impact est tellement violent qu'il suffit à assommer sa victime. Ensuite, il n'a qu'à déjeuner, conclut-il d'un ton insouciant avec un sourire en coin.

Les deux adolescents se promenèrent toute la journée sans rencontrer l'inquiétant prédateur et durent rentrer bredouilles.

Le lendemain, ils partirent tôt en direction du sud. Marguerite se sentant maintenant à l'aise de conduire l'attelage, Hosh et elle changeaient de place régulièrement. Au bout de quelques heures, ils sentirent enfin la présence du prédateur.

— C'est impressionnant, murmura Hosh.

— Je ne le vois pas encore, mais je ressens sa puissance, affirma Marguerite, troublée.

— C'est comme si je n'avais plus peur de rien, remarqua Hosh, qui était très sensible aux impressions du requin. Il est le maître ici, c'est indéniable.

— Penses-tu qu'il nous voit ?

Son jumeau se concentra.

— Je l'ignore, mais il sait que nous sommes là.

Marguerite et Hosh regardaient de tous les côtés.

— Le marlin est nerveux, signala Marguerite en sentant les rênes vibrer dans ses mains.

Une forme sombre se dessinait vaguement au loin.

— Je le vois, annonça Hosh.

– Je ne sens pas de danger, avoua Marguerite.

– Non, mais il est curieux, affirma Hosh. Ça peut être tout aussi dangereux.

Le grand blanc avançait lentement.

– Laisse partir le marlin, ordonna Hosh.

Marguerite hésita une seconde. Le marlin était le seul moyen qu'ils avaient pour fuir. Cédant au regard insistant de son frère, elle lâcha les rênes du marlin qui s'éloigna en direction de la cité sans demander son reste. Les deux adolescents restèrent seuls face au prédateur. Le requin était impressionnant. Il mesurait près de quatre mètres et fixait les jumeaux de ses grands yeux noirs inexpressifs. Marguerite sentait son cœur battre à toute vitesse. Elle tenta de se calmer et d'entrer en contact avec ce prédateur sorti tout droit d'un film d'horreur de son enfance.

– J'aurais dû écouter ma mère lorsqu'elle m'a avertie de ne pas regarder *Les dents de la mer*, murmura-t-elle.

– Surtout, ne te sauve pas, lui intima Hosh.

La jeune fille comprenait parfaitement ce qu'il voulait dire. Elle ne devait pas devenir une proie. C'était d'ailleurs pour éviter de réveiller l'instinct de chasseur du monstre que Hosh avait exigé qu'elle laisse partir le marlin. Le sirène s'avança lentement vers le grand blanc. Il tendit la main vers lui et Marguerite eut l'impression que le requin prenait de la vitesse.

– Arrête, ordonna-t-elle au prédateur.

– NON ! cria Hosh. Il ne peut pas. Ça va le tuer.

La jeune syrmain se souvint des enseignements de maître Robin : « Le requin blanc est contraint de nager sans halte durant toute sa vie à une vitesse minimum de trois kilomètres et demi par heure afin que son organisme ne manque pas d'oxygène. » Lorsque la main de Hosh toucha le museau du requin, les jumeaux sentirent un frisson les parcourir. Le requin s'orienta alors vers Marguerite. Jamais le cœur de la jeune fille n'avait battu si vite. Les mouvements de sa queue devinrent désordonnés et sa respiration s'accéléra. « Je vais mourir », pensa-t-elle. Elle ne parvenait pas à bouger tandis que l'énorme bouche aux longues dents tranchantes s'approchait d'elle.

– *Respire*, lui dicta Hosh par la pensée.

Leur étrange pouvoir de télépathie venait d'apparaître au contact du requin.

– *Tends la main*, lui enjoignit-il.

Dans un effort surhumain, Marguerite réussit à éloigner son bras de son corps et à en tendre la moitié vers le requin. Ce dernier passa à proximité d'elle et ses doigts touchèrent les écailles rugueuses et tranchantes du prédateur. Toute peur s'effaça instantanément. Elle venait de reconnaître hors de tout doute son allié naturel. Il n'y avait aucune commune mesure avec ce qu'elle ressentait en présence des dauphins. Elle comprenait le requin comme si elle avait été dans sa tête. Jamais il ne blesserait l'un deux, elle en était désormais convaincue.

– *Disons-lui de partir*, pensa Marguerite.

Les jumeaux transmirent cet ordre au requin. Celui-ci continua à tourner autour d'eux sans s'éloigner.

– *Il faut nous concentrer davantage*, affirma Hosh.

Rien à faire.

– *Il refuse de filer*, marmonna Marguerite pour elle-même, *parce que... parce que...*

Tout en se concentrant sur les pensées primitives du grand blanc, Marguerite pensa immédiatement aux chasseurs que le roi avait envoyés et un frisson la parcourut.

— *Ce n'est pas ça*, assura Hosh qui avait suivi ses pensées. *Les requins blancs n'aiment pas la chair des sirènes, des syrmains ou des humains. Lorsqu'ils y goûtent, ce n'est que par curiosité et ils la recrachent ensuite.*

— *Pourquoi attaquer les sirènes de la cité alors ?* interrogea la jeune fille.

— *Parce qu'on le lui a ordonné ! Suivons-le !* décréta Hosh.

10

Frolacols

Ils nagèrent ainsi pendant près de trente minutes. Le paysage était un peu désolant. Ils ne voyaient plus le sol depuis qu'ils avaient pris de l'altitude à l'entrée d'un profond canyon. Ils franchirent un premier courant chaud et, quelques mètres plus loin, tandis qu'une agréable sensation de tiédeur les envahissait à nouveau, ils entendirent des cris qui provenaient d'au-dessous d'eux.

– Qu'est-ce que c'est ? s'inquiéta Marguerite.

– On dirait des cris de sirènes, riposta Hosh.

– Penses-tu que ce sont les chasseurs manquant à l'appel ?

– Je n'en sais rien, mais il vaut mieux être prudent.

Ils plongèrent en ligne droite et descendirent dans le ravin. Hosh, dont le sens de la vibration était beaucoup plus développé que celui de Marguerite, ferma les yeux et se concentra. Il ne fut pas long à indiquer à Marguerite la direction à emprunter. Ils restèrent silencieux et prirent à gauche une fois rendus près du sol. Ils progressaient lentement, tous leurs sens en alerte. Lorsque des sons aigus leur parvinrent encore une fois, ils se cachèrent derrière un gros rocher. Marguerite aperçut alors quatre chasseurs enchaînés. Elle jeta un coup d'œil à Hosh, chez qui le dégoût et la peur semblaient se disputer la première place. Elle tourna les yeux de façon à voir la même chose que lui.

Marguerite vit deux sirènes dont la queue était d'un gris soutenu et dont les écailles montaient jusqu'à la poitrine. Leur visage était déformé, donnant l'impression qu'il leur avait poussé deux ou trois balles de golf sous la peau. Ils avaient l'air féroce et buté. Leur dos était voûté et, autant que Marguerite pouvait le constater, leurs mains aussi semblaient étranges, comme si leurs doigts étaient exagérément longs. Hosh se pencha vers sa jumelle et lui chuchota à l'oreille :

– Ce sont des frolacols. J'en ai déjà vu un lorsque j'avais à peu près dix ans. L'un d'eux avait été fait prisonnier et c'est Usi qui l'avait jugé et condamné pour vol. Ces êtres sont les descendants de sirènes qui ont été chassés du royaume des mers du nord il y a des centaines d'années, pour avoir fomenté une rébellion contre la reine Ingrid. Les frolacols sont en quelque sorte une sous-espèce de sirènes. Ils ont quitté notre monde depuis si longtemps qu'ils se sont transformés. Ce sont des cannibales ! ajouta-t-il avec horreur. Ils sont capables de manger des sirènes s'ils le veulent. On dit même qu'ils y prennent plaisir. Ils sont réputés pour être extrêmement dangereux.

Marguerite réfléchit très vite. Elle tremblait de peur, mais les chasseurs avaient besoin d'eux... Il FALLAIT trouver quelque chose rapidement.

— Réfléchis, Hosh ! Tout le monde a un point faible... Craignent-ils quelque chose ?

— Pas que je sache..., murmura-t-il, très lentement.

Puis son regard s'illumina et il annonça :

— Dans les livres d'histoire, on écrit qu'ils se sont transformés au fil des générations pour devenir lents et aveugles aux mouvements. Pour survivre, ils ont développé leur don de communication avec leur allié naturel, dont ils se servent pour arriver à leur fin.

– Me fais-tu confiance ? interrogea Marguerite après quelques minutes de réflexion.

– Oui, affirma Hosh avec conviction.

Marguerite ouvrit la bouche et émit une suite de cliquètements stridents dont certains étaient si aigus qu'ils étaient inaudibles. Elle pria pour être entendue par les dauphins de la cité. Les frolacols tournèrent immédiatement la tête dans leur direction, mais ils étaient bien cachés derrière leur rocher.

– Appelons le requin, somma la jeune fille. Nous devons faire diversion.

Les jumeaux fermèrent les yeux et se concentrèrent de leur mieux.

– *Il ne veut pas venir*, pensa Hosh.

– *Il DOIT venir*, lui répondit Marguerite en pensée.

Ils redoublèrent d'ardeur et, quelques minutes plus tard, ils entendirent des cris de rage. Le grand prédateur tournait dangereusement autour des frolacols. Marguerite prit une grande inspiration et en profita pour traverser le ravin. Elle se trouvait maintenant assez près des frolacols, mais du côté des gardes prisonniers.

Il lui fallait se montrer prudente et ne commettre aucune erreur. Elle se tint aussi immobile qu'elle le pouvait. Pourvu que son frère ait dit juste. Nul doute que les frolacols l'avaient sentie vibrer, mais ils ne la voyait pas. Ils avaient réussi à blesser le requin avec un des tridents appartenant aux gardes. Marguerite attendit un moment que son allié naturel revienne à l'attaque.

À chaque diversion causée par le requin, elle en profitait pour se rapprocher davantage des gardes. Il ne lui restait pas plus de cinq mètres à parcourir. Elle pourrait sûrement y arriver en deux fois. Le requin blanc choisit malheureusement ce moment pour disparaître. Il faut dire que les frolacols avaient réussi à le blesser à plusieurs reprises. Elle était si près d'eux qu'un simple mouvement de la queue trahirait sa présence. Adossée à la paroi du ravin, la jeune fille enfonça ses doigts dans les anfractuosités des rochers derrière elle de manière à être le plus immobile possible. Des bribes d'une conversation entre deux frolacols lui parvinrent.

– Lui pas censé être ici.

– Shim pas donner nourriture à lui ?

– Faux ! grogna un grand frolacol qui venait de se joindre à eux. Shim a fait son travail. Requin vu neveux du maître ! Neveux du maître appelé requin ici ! Eux sont là !

Marguerite retint sa respiration. Comment savaient-ils qu'ils communiquaient avec le grand blanc ? « Pour survivre, ils ont développé leur don de communication avec leur allié naturel, dont ils se servent pour arriver à leur fin », avait dit Hosh. Est-ce qu'un des frolacols avait le même allié naturel qu'eux ? Si c'était le cas, est-ce que des êtres ayant le même allié pouvaient communiquer entre eux et intercepter des conversations ? Pourvu que Hosh n'essaie pas de s'adresser à elle en pensée. Soudain, une phrase la frappa de plein fouet. Neveux... maître... Si ce frolacol parlait d'eux, leur maître était donc... Usi !

– Vous chercher eux, lança celui qui semblait être le chef. Et pas oublier : tuer, pas manger.

Le teint de la jeune fille vira au vert, la nausée s'emparant d'elle. Elle avala de grandes goulées d'eau en essayant de se calmer. Tout ceci était un coup monté. Usi voulait leur mort ! Mais... mais c'était impensable ! Et ces... choses sorties tout droit d'un cauchemar étaient là pour accomplir sa volonté. Marguerite se souvint alors des formes grisâtres qu'elle avait vues juste avant qu'ils prennent le *correntego*. Elle savait maintenant qu'il s'agissait de frolacols.

Lorsqu'elle avait élaboré une stratégie pour sauver les chasseurs, elle ignorait que son frère et elle étaient recherchés et elle avait compté sans les armes des frolacols. Est-ce que tout fonctionnerait comme elle l'avait planifié ? Est-ce que son message s'était rendu à Lacatarina ? Est-ce que les dauphins de la cité avaient entendu son appel et y répondraient ? Elle n'avait d'autre choix que d'attendre.

Les minutes qui suivirent furent interminables. Marguerite priait pour que les frolacols partis à leur recherche ne découvrent pas l'endroit où se terrait Hosh. Brusquement, un cri qu'elle seule pouvait entendre lui réchauffa le cœur. Elle se prépara aussitôt à agir. Lorsque des dauphins munis d'aérodynamos portatifs se mirent à faire des cabrioles près des deux geôliers restés dans le ravin, elle profita de leur inattention pour se déplacer. La jeune fille se glissa derrière le rocher auquel les chasseurs étaient enchaînés. En brisant leurs liens, elle plaça leurs mains contre la pierre, les incitant à s'y cramponner et à ne pas dévoiler aux créatures cannibales qu'ils étaient maintenant libres.

En délivrant le dernier sirène, elle s'aperçut qu'il avait une longue blessure sur le bras gauche, que son torse était en train de prendre une teinte mauve plutôt inquiétante au niveau des côtes et qu'il était d'une pâleur cadavérique. Il ne pourrait pas s'agripper assez longtemps au rocher pour que son plan réussisse. La jeune fille risqua le tout pour le tout. Elle le soutint comme elle put et lança un second cri perçant. Au même instant, les dauphins bifurquèrent dans sa direction et les rejoignirent quelques secondes avant les frolacols. Ce délai fut suffisant pour donner le temps aux chasseurs de s'accrocher à la nageoire dorsale des cétacés, qui s'élancèrent aussitôt hors du ravin.

Marguerite s'était agrippée au dauphin qui portait le chasseur le plus mal en point et nageait de concert avec le mammifère, tout en soutenant le blessé. Des éclairs provenant des tridents passaient à quelques centimètres d'eux. Lorsqu'ils sortirent du ravin, ils se retrouvèrent directement dans le courant chaud. Hosh surgit derrière sa sœur, agrippé au dauphin qui l'avait guidé jusque-là. Ils s'éloignèrent aussitôt à vive allure.

Dès qu'ils franchirent le mur de protection de la cité, ils furent pris en charge par des gardes royaux. On allongea les deux chasseurs blessés sur des chars-civières et le groupe partit à grande vitesse vers le château tandis que les dauphins étaient amenés au centre de soins pour mammifères.

Les jumeaux ainsi que deux des quatre chasseurs furent immédiatement reçus par le roi, le prince Mobile ainsi que par plusieurs dignitaires.

– Que s'est-il passé ? s'enquit le souverain, visiblement inquiet.

Les jumeaux lui racontèrent leur rencontre avec le grand blanc, puis la découverte des frolacols. Lorsque Hosh prononça ce mot, des murmures angoissés se répandirent dans l'assistance.

— Des frolacols, dites-vous ? répéta le roi Simon, atterré, en se tournant vers les chasseurs.

— C'est la vérité, votre Majesté, confirma le plus vieux. Nous avons été faits prisonniers pendant notre deuxième nuit de chasse. Nous nous étions abrités dans un ravin. C'est là que ces êtres immondes nous ont capturés. Nous ne nous en sommes sortis que grâce au courage de ces deux Lénaciens.

— Où sont vos compagnons ?

— Deux d'entre eux sont à l'infirmerie, reprit le chasseur. Nous ne savons pas s'ils survivront à leurs blessures. Yon n'est plus des nôtres.

— Comment est-il mort ?

— Nous n'avons rien vu, balbutia un des chasseurs d'un mince filet de voix, mais nous avons entendu... leur festin.

Pour la deuxième fois de la journée, Marguerite eut un haut-le-cœur. Faisant fi du protocole, elle sortit immédiatement de la pièce qui commençait à tanguer sous ses yeux. Elle se réfugia dans sa chambre où elle s'enferma avec Ange qui, sentant sa détresse, glissa son corps sous le sien pour la soutenir. Les nerfs de l'adolescente lâchèrent. Elle pleura à chaudes larmes toutes les émotions de la journée ainsi que la mort atroce d'un inconnu.

Marguerite se laissait toujours bercer par un courant chaud quand Pascale la rejoignit. Elle s'approcha de son amie et lui prit la main en silence. Au bout de quelques minutes, la jeune sirène lâcha sa main et murmura :

– Ton frère m'a raconté... Mobile est inquiet pour toi. Il a demandé de tes nouvelles.

– Dis-lui que je suis fatiguée, mais que je vais bien, marmonna-t-elle.

– Très bien. Repose-toi. Hosh viendra plus tard.

Une fois seule, Marguerite se blottit dans son assur où le sommeil la fuit une bonne partie de la nuit. Elle n'avait encore rien dit à son frère concernant Usi et le rôle qu'il jouait peut-être dans tout cela. Elle devait le mettre au courant, mais comment ? Si ce qu'elle avait entendu se révélait exact, les répercussions seraient énormes...

* *

*

Le lendemain, Marguerite et Hosh furent convoqués dans la salle du trône. Plusieurs sirènes, que les adolescents n'avaient croisés que quelquefois depuis leur arrivée à Lacatarina, attendaient que le souverain prenne la parole. Parmi les gens qu'elle connaissait se trouvait Mobile, aux côtés de son père, les autres jumeaux, Ran, maître Robin, l'évaluateur Mac ainsi que des dignitaires du royaume avec qui elle avait souvent mangé au cours des dernières semaines. Jessie lui faisait dos et parlait avec Pascale. En voyant Marguerite, cette dernière lui envoya un discret signe de la main. Jessie, curieuse, se retourna. Lorsqu'elle vit sa cousine, elle sembla se pétrifier sur place. Son visage perdit toute expression et son regard devint dur. Il était évident qu'elle ne se réjouissait nullement que ses cousins aient réussi à échapper à la mort.

– Hum !... l'image même de la joie de vivre ! lança sarcastiquement Pascal qui arrivait près de Marguerite et qui avait, lui aussi, remarqué l'expression de Jessie.

– Chers invités, commença solennellement le roi en s'adressant à Marguerite et Hosh, j'ai une triste nouvelle à vous annoncer. Enrique, un des gardes que vous avez sauvés, est décédé des suites de ses blessures au deuxième chant de la nuit. Cependant, je tiens à vous remercier d'avoir risqué votre vie. N'eût été de votre courage, le royaume compterait aujourd'hui quatre protecteurs de moins. Je tiens également à souligner la vivacité d'esprit dont a fait preuve mon vieil ami Robin. Il a su comprendre la détresse du delphineau de Marguerite lorsque celui-ci a reçu l'appel de sa tutrice. Il a rapidement envoyé à votre secours des dauphins adultes munis d'aérodynamos. À la suite de vos découvertes, nous allons renforcer la sécurité autour de la cité et vous fournir une garde supplémentaire pour que vous puissiez rentrer sans danger à Lénacie et prévenir vos souverains du retour des frolacols dans notre région.

Marguerite et Hosh échangèrent un regard à la dérobée. Si Una éprouvait un choc à cette annonce, Usi ne serait guère surpris. Lorsque son frère était venu la réveiller, l'adolescente lui avait répété la conversation entendue la veille entre les frolacols. Ils en avaient discuté et en étaient venus à la conclusion que, encore une fois, ils n'avaient aucune preuve tangible de la malveillance de leur oncle.

– Je vous demande donc d'être prêts à partir pour le royaume de Lénacie après-demain au premier chant du matin, continua le roi.

Sur cette annonce, les trois couples de jumeaux prirent congé.

– Des frolacols, rien que ça ? s'exclama Jessie dès qu'ils furent sortis de la salle. Vous auriez pu inventer quelque chose de plus vraisemblable. Vivement notre retour à Lénacie ! Les sirènes chez nous sont beaucoup moins crédules... Au fait, Marguerite, que vas-tu faire de ton delphineau ?

Prise au dépourvue, Marguerite ne sut que répondre. Ses yeux se remplirent de larmes et elle haussa les épaules en signe d'ignorance. Elle n'avait pas pensé au retour avec son bébé dauphin. Ange pouvait-il utiliser le *correntego* ? Comment allait-il respirer ?

– Je dois voir Ran, lança-t-elle à son frère en s'éloignant à toute vitesse sous le regard satisfait de Jessie.

Marguerite se rendit au centre de soins pour mammifères où travaillait Ran. Elle en fit le tour mais ne le vit nulle part. Elle nagea au hasard dans le quartier, paniquant au fur et à mesure que les minutes s'écoulaient à la pensée de devoir peut-être abandonner Ange.

Elle finit par retourner au palais où Hosh, voyant l'agitation de sa sœur, lui proposa son aide. Ils parvinrent à trouver Ran dans un des enclos qui entouraient Lacatarina. Le spécialiste aidait un fermier d'huîtres. Lorsqu'il les vit, le chercheur se dirigea vers eux avec un immense sourire. Marguerite ne lui laissa pas le temps de placer un mot.

– Je pars après-demain, lui annonça-t-elle précipitamment. Ange est bien trop jeune. Je ne peux pas le laisser. Peut-il survivre en dehors de la cité ? Comment va-t-il respirer ? Et le *correntego* ? Est-ce que les dauphins peuvent l'utiliser comme les sirènes ? Et... mais pourquoi riez-vous ? demanda Marguerite, irritée qu'il ne la prenne pas au sérieux.

En effet, Ran affichait un sourire qui s'élargissait à mesure que Marguerite parlait sans reprendre son souffle.

– Premièrement : bonjour, Marguerite. Deuxièmement : vous pouvez emprunter un aérodynamo portatif pour la durée du voyage. Troisièmement : il existe une technique pour installer un dauphin à l'intérieur du véhicule. Et quatrièmement : je pars avec vous... alors... RESPIREZ !

Marguerite retrouva instantanément le sourire. Elle était rassurée. En peu de temps, elle s'était beaucoup attachée à Ange et elle ne voyait pas comment elle aurait pu le laisser à Lacatarina. Elle se sentait responsable de lui. Sensible, le roi Simon avait eu la gentillesse de demander à Ran d'accompagner Marguerite afin de continuer à prendre soin du delphineau. L'adolescente convint avec le spécialiste de le rencontrer le lendemain pour régler les détails du premier voyage d'Ange.

11

Rites funéraires

– Nous devons nous préparer pour la cérémonie d'abîme, annonça Hosh au deuxième chant de la mi-journée, le lendemain.

– Qu'est-ce que c'est ? demanda sa jumelle.

– Une cérémonie funéraire, si tu préfères.

Marguerite allait questionner son frère lorsque Pascale entra précipitamment dans la pièce.

– Vous n'êtes pas prêts ! constata-t-elle, scandalisée.

– Nous allions commencer, assura Hosh en lui adressant un sourire insouciant.

La jeune sirène poussa un soupir de découragement. Marguerite observait l'aspirante d'un œil surpris. Sa queue était couverte d'un enduit bleu foncé presque noir. Comme un caméléon, elle pouvait se confondre avec la couleur de l'eau à cette profondeur. Une kilta de la même teinte parait son buste. Ses longs cheveux blonds avaient été tirés vers l'arrière en un chignon serré. Sur son visage, on avait dessiné un masque complexe dont le bleu et le vert constituaient les couleurs dominantes. Marguerite devait admettre que ce maquillage, au lieu de masquer la beauté de Pascale, l'accentuait.

– Suis-moi, décréta l'aspirante à son amie. Sinon, tu ne seras jamais prête à temps.

Pascale conduisit son amie dans sa chambre où elle appela une servante. On enduisit la queue de Marguerite d'une pâte couleur bleu nuit. Ensuite, on inséra le visage de l'adolescente dans un cadre en bois, dont un des côtés était solidement fixé au mur. À l'aide de manivelles, on rapprocha les quatre côtés du cadre afin que Marguerite ne puisse plus bouger son visage. Une maquilleuse lui fit face et commença à créer un masque semblable à celui de Pascale. Marguerite comprit l'utilité de ce cadre car, dans l'océan, très peu de sirènes arriveraient à se tenir immobiles pendant toute la durée d'un maquillage.

Un demi-chant plus tard, Marguerite fut fin prête. Ange, qui l'avait accompagnée, tournait autour d'elle en attendant de recevoir des caresses. Son frère les rejoignit et Marguerite eut sa deuxième surprise de la journée. On avait également fait un maquillage à son frère ! Son masque couvrait la partie inférieure de son front, ses yeux et ses joues. Il s'arrêtait juste au-dessus de sa lèvre supérieure et s'harmonisait parfaitement au sien. Sa queue était également bleu nuit. Marguerite s'aperçut peu après que ces caractéristiques étaient communes à tous ceux qui se rendaient à la cérémonie funéraire.

— Pourquoi mettons-nous cette pâte sur notre queue ? demanda-t-elle à son frère tandis qu'ils se rendaient aux chars royaux.

— C'est un témoignage de deuil. Nous ne devons pas attirer l'attention sur nous mais plutôt rester centrés sur le voyage qui s'amorce pour les défunts. En dissimulant la couleur de nos écailles, nous éliminons une distraction.

— Et la peinture sur nos visages ? N'est-elle pas une autre forme de distraction ?

— C'est vrai qu'on peut le voir ainsi, sourit Pascale. Cependant, cette deuxième marque contribue à garder l'anonymat des sirènes au cours de la cérémonie. Ainsi, tous peuvent vivre pleinement ce moment important. Ensuite, les sirènes directement touchés par la mort d'un de leurs proches portent un des deux signes pendant plusieurs jours ou plusieurs semaines. Ce symbole extérieur rappelle aux gens qu'ils sont blessés et en processus de guérison. Ils reçoivent ainsi appui et affection.

– Qui décide combien de temps on doit porter le maquillage ?

– C'est une décision personnelle, l'informa Hosh. Certains sirènes portent un maquillage foncé sur leur queue pendant des années. Un deuil, s'il est bien vécu, prend environ deux ans avant d'être accompli. Toutefois, les étapes ne sont pas toutes aussi douloureuses. Habituellement, les premiers mois sont les plus difficiles.

Les aspirants montèrent dans les chars qui les conduisirent jusqu'à la limite ouest de la cité. Le spectacle qui attendait Marguerite était impressionnant. Les deux adultes décédés avaient été enroulés dans des feuilles d'algues. On avait recueilli sur leur queue des écailles qu'on avait patiemment collées sur leurs linceuls respectifs. Le résultat était saisissant et, elle devait se l'avouer, très artistique.

Marguerite vit des hommes à la queue verte arriver. Ils disposèrent des aérodynamos au sol puis s'éloignèrent pendant que l'un d'eux se glissa au-dessus des dépouilles et entama une longue plainte modulée. Les sirènes présents joignirent leur voix à la sienne. Une poignante lamentation résonna et emplit de tristesse le cœur de Marguerite. Ange devait ressentir son trouble, car il glissa la tête sous son bras et tenta de rester immobile le plus longtemps possible. Une trentaine de minutes plus tard, la litanie cessa soudainement. La foule affichait un calme religieux. Les larmes s'étaient taries et les pleurs avaient cessé. On présenta les deux membres décédés de la communauté en retraçant brièvement leur vie et leurs réalisations. Ensuite, les sirènes entamèrent un autre chant dans lequel Marguerite comprit qu'on recommandait l'âme des défunts à Poséidon, dieu des océans. Lorsque le chant prit fin, les aérodynamos entrèrent en fonction et produisirent un véritable écran de bulles d'air séparant les vivants des morts. Lorsqu'ils s'arrêtèrent, la jeune syrmain découvrit avec surprise que les deux corps avaient disparu.

— Des gardiens sont venus les chercher, expliqua son frère devant son air ahuri. Ils ont traversé le mur de protection.

— Où les amène-t-on ? s'enquit Marguerite.

— Dans un abîme situé à quelques kilomètres d'ici.

* *
*

Le lendemain, Marguerite se réveilla en sursaut, s'extirpant difficilement d'un cauchemar peuplé de frolacols. Le cœur battant, elle voulu mettre un pied par terre. L'assur fit un tour sur lui-même et Maï, qui venait d'entrer dans la pièce, éclata d'un rire sonore. L'aspirante avait momentanément oublié qu'elle n'avait pas de jambes ! Elle se retrouvait maintenant prisonnière des mailles de l'assur.

Ravalant tant bien que mal son hilarité, Maï l'aida à se libérer et l'installa devant son déjeuner. Il avait été convenu que tous devaient avoir mangé avant le départ pour Lénacie. Après avoir avalé sa dernière bouchée d'œufs de morue, Marguerite saisit son sac de voyage et se rendit résolument au jardin intérieur du palais accompagnée d'Ange.

Son frère s'y trouvait déjà et discutait avec Mobile et Diou. Hosh la salua d'un immense sourire, ce qui fit se retourner ses deux interlocuteurs. Le prince délaissa la conversation et s'approcha immédiatement d'elle. Il lui mit dans la main un petit coffret ouvragé en bois de java.

– Ne l'ouvre que lorsque tu seras loin d'ici, lui chuchota-t-il.

Marguerite approuva d'un signe de tête, les yeux perdus dans ceux de Mobile. Les mains un peu tremblantes, elle rangea le coffret dans une des petites poches sur le côté de son sac et rejoignit son frère.

Jack et Jessie arrivèrent à ce moment.

– Quels beaux moments nous avons passé ici ! minauda Jessie en prenant le prince par le bras. Les habitants de Lacatarina sont charmants et la cité, magnifique !

– Je suis bien content que vous ayez apprécié votre séjour ! répondit Mobile, poli.

– Il faudra que vous nous rendiez visite à votre tour, susurra Jessie en lançant un regard de biais à Marguerite. Pourquoi pas dans quelques mois ?

« Sois honnête, cousine, pensa Marguerite, et révèle le fond de ta pensée. Tu veux qu'il vienne à la fin de l'été, lorsque je serai retournée à la surface. »

– Ou pourquoi pas l'été prochain ? renchérit Pascale qui venait de se joindre à eux. Ainsi, nous serons tous ensembles pour vous accueillir et vous faire visiter Lénacie, comme vous l'avez si gentiment fait avec nous !

« Merci, Pascale », songea Marguerite, reconnaissante.

– J'en parlerai avec mon père, promit le prince.

Au même moment, le roi Simon fit son entrée, accompagné de l'évaluateur Mac et de maître Robin. Il donna le signal du départ. Mobile se libéra de l'emprise de Jessie en la guidant vers le premier char. Puis, galant, il fit monter Marguerite dans un autre. Un des gardes de Lénacie prit les commandes et la jeune fille se laissa guider à l'extérieur du palais. Lorsqu'il devint impossible de voir Mobile, elle reporta son attention vers la cité plutôt que vers les personnes qui voyageaient avec elle. Elle regarda calmement défiler les édifices en se demandant combien de temps s'écoulerait avant qu'elle ne revienne.

Arrivés à l'extrémité ouest de la ville, ils descendirent des chars. Marguerite dénombra dix-sept personnes. Parmi celles-ci se trouvaient les quatre gardes de Lénacie qui les avaient amenés dans les mers du sud et les quatre gardes de Lacatarina que le roi avait mandés pour leur protection. « Nous n'entrerons jamais tous dans le *correntego* », songea-t-elle.

– Enfin, nous avons quitté cette cité, ron-chonna Jessie qui nageait juste derrière elle. J'étouffais au milieu de tous ces immeubles.

– Pour ma part, avoua Jack, c'est plutôt l'atmosphère hautaine des habitants du château qui m'énervait. Ils agissaient souvent comme s'ils nous étaient supérieurs.

« Regardez donc qui parle », songea Marguerite.

– Tu as raison, approuva sa sœur qui semblait déjà avoir oublié les louanges faites au prince au sujet de son royaume. Vivement notre retour chez nous !

Ils nagèrent toute la journée avec énergie. Les gardes, armés de tridents, craignaient une attaque des frolacols et étaient très concentrés. Ange, pour sa part, s'était vite habitué à son aérodynamo portatif. Très heureux de cette promenade inattendue, le delphineau ne s'éloignait jamais du groupe, mais il faisait constamment des pirouettes autour des nageurs au point d'en être étourdissant. Après plusieurs heures de cette cadence soutenue, la tension commençait à être palpable. L'image des frolacols hantait l'esprit de tout le groupe. Seuls Jack et Jessie continuaient de nier leur existence. Marguerite s'épuisait à scruter l'eau autour d'eux avec la peur au ventre de voir apparaître une queue grise. Elle commençait aussi à montrer des signes de fatigue. Heureusement, ils étaient arrivés au *correntego*. Les jumeaux eurent la surprise d'en découvrir un deuxième presque identique à celui provenant de Lénacie. Toute l'insouciance d'Ange s'évanouit lorsque la jeune fille tenta de l'y faire entrer. Il fallut que Ran, Hosh et Pascal conjuguent leurs efforts à ceux de Marguerite pour réussir à attacher le dauphin dans le véhicule, suscitant ainsi les commentaires exaspérés de Jack.

Au même moment, ce que craignait le plus Marguerite se produisit. Elle vit au loin le contour de deux êtres au dos vouté. Le cœur de l'adolescente faillit lui manquer.

– LES FROLACOLS ! cria-t-elle aux gardes.

– Vite ! Tout le monde dans les *correntegos* ! lança maître Robin.

Les aspirants entrèrent l'un à la suite de l'autre et entreprirent de s'attacher. Simultanément, Marguerite essayait de voir ce qui se passait à l'extérieur. Les gardes tenaient bien en main leur trident, mais personne ne lançait de rayon. L'alarme qu'elle avait donnée avait eu pour effet de faire disparaître leurs ennemis. Soudain, le cri de terreur de Pascale la glaça d'effroi. Une créature gigantesque venait d'apparaître à quelques mètres du véhicule. Les gardes se précipitèrent à leur tour dans les *correntegos* et en verrouillèrent les ouvertures.

D'une longueur totale d'environ dix-huit mètres, un calmar géant s'approchait lentement de l'engin dans lequel prenaient place les couples de jumeaux. Sans crier gare, la bête ouvrit ses dix tentacules et enlaça le véhicule. Sur la paroi extérieure, à quelques centimètres de sa tête, Marguerite pouvait apercevoir une des ventouses de la bête, aussi large qu'une grosse assiette.

– JESSIE ! cria Marguerite. Fais quelque chose. C'est TON allié naturel !

– Je n'y arrive pas, paniqua Jessie.

– Concentre-toi, ordonna Jack, tu DOIS réussir.

Jessie ferma ses yeux et se calma. Elle se mit à murmurer une litanie dont Marguerite ne comprenait pas un traître mot. Le calmar relâcha un peu sa pression et la propulsion de départ du véhicule le libéra complètement. Une nouvelle explosion leur fit atteindre une vitesse avoisinant les deux cent cinquante kilomètres par heure.

– Que s'est-il passé ? s'enquit Pascale. Pourquoi nous a-t-il attaqués ?!

– Il y avait de l'interférence entre ma pensée et la sienne, avoua Jessie, secouée.

Quelqu'un d'autre essayait de dominer ce calmar ! Je ne connais personne d'autre ici qui ait ce pouvoir.

– Et tu n'as pas pensé à un frolacol ? suggéra Hosh, qui n'avait pas encore digéré que sa cousine mette en doute les paroles de sa sœur et de lui-même.

Jessie leva les yeux vers la surface et s'abstint de répondre.

– Saleté de bête, grogna Jack, furibond, tout en bouclant ses ceintures. Je me suis cogné la tête contre la paroi.

Furieux, il donna un violent coup de poing sur la cloison.

– Il ne s'est pas cogné assez fort, on dirait, murmura Hosh à sa sœur, tentant d'alléger l'atmosphère.

* *
*

Ils pénétrèrent dans Lénacie juste avant le premier chant de la mi-journée. Marguerite sourit en voyant le regard surpris de Ran. Elle se rappelait fort bien son propre étonnement en constatant que Lacatarina était construite tout en hauteur. Elle pouvait sans peine imaginer l'étonnement du syrmain de voir une ville presque entièrement construite au niveau du sol et sur une superficie dépassant de beaucoup celle de Lacatarina.

Ils furent très rapidement entourés d'une délégation de gardes royaux. Una en personne les attendait à l'une des entrées principales du palais.

– Soyez les bienvenus à Lénacie, les accueillit-elle. Maître Robin, je sais que vous revenez d'un long voyage, mais je me permets d'abuser de votre bonté en vous demandant de guider nos invités vers les appartements qui leur sont réservés. Sirènes, dit-elle en se tournant vers les gardes de Lacatarina, je vous remercie sincèrement d'avoir veillé sur les aspirants à la couronne. Reposez-vous quelques heures, nous vous attendrons pour le repas du soir.

D'un geste affectueux, elle tendit les bras vers ses enfants et leur prit la main pour les entraîner à sa suite. Ange nageait allègrement autour d'eux. Si Una fut surprise de découvrir un bébé dauphin collé aux nageoires de sa fille, elle n'en souffla pas un mot. Dans les appartements de sa mère, Marguerite libéra le delphineau de l'aérodynamo fixé à son dos, mais sans arrêter le fonctionnement de la machine. La jeune fille voulait d'abord qu'elle crée un amoncellement de bulles d'oxygène au plafond de la chambre de Hosh et de la sienne. Comme les dauphins étaient le principal moyen de transport à Lénacie, la plupart des infrastructures étaient déjà adaptées aux besoins des cétacés ; elle n'aurait donc plus besoin, à l'avenir, d'utiliser l'aérodynamo de Lacatarina.

Au cours du repas que Hosh et elle prirent avec la reine, ils lui contèrent leurs aventures, dont leur rencontre avec les frolacols. La reine fut surprise d'apprendre leur retour et épouvantée que ses enfants se soient approchés de si près de ces monstres.

* *
*

En jetant un œil à sa montre, Marguerite vit qu'il était près de dix-neuf heures. Le premier chant du soir allait bientôt être chanté. Elle se leva et s'approcha doucement de la cloison qui séparait sa chambre de celle de son frère. L'adolescente y colla son oreille et, comme elle n'entendait rien, elle entrouvrit les algues de la porte. Elle se dirigea vers l'assur et regarda son jumeau dormir.

– Hosh ! l'appela-t-elle.

– Humm... ? marmonna-t-il.

– Il est tard, dépêche-toi. J'ai hâte de savoir ce que mère décidera au sujet des frolacols.

– Tu crois qu'on aurait dû le lui dire pour Usi ? s'inquiéta Hosh, subitement réveillé.

– Non, je pense qu'il est trop tôt.

– Écoute, Marguerite, ce n'est pas rien ! Usi a tenté de nous faire tuer. Qui sait ce qu'il prépare en ce moment ?

– S'il se sait surveillé, rétorqua sa sœur, il prendra ses précautions et nous n'arriverons jamais à le pincer la main dans le sac.

« Le pincer la main dans le sac ? » rigola son frère qui n'avait jamais entendu cette expression.

– Peut-être as-tu raison, accorda-t-il en reprenant son sérieux. Mais je t'avertis, au prochain événement suspect, je préviens immédiatement mère !

Les jumeaux se rendirent dans la grande salle où les souverains accueillirent les gens de Lacatarina et annoncèrent leur décision de remettre au lendemain les discussions concernant la sécurité du royaume. Ils devaient d'abord se consulter entre eux.

Après s'être restaurée, Marguerite se rendit à sa chambre où elle s'étendit dans son assur, complètement épuisée. Elle allait glisser dans les bras de Morphée lorsque l'image de Mobile se présenta à elle. La jeune fille avait à peine eu le temps de penser à lui depuis son départ. Elle se souvint du cadeau qu'il lui avait fait et se releva subitement pour atteindre son sac, oubliant d'un seul coup toute sa fatigue. Elle en sortit le boîtier en bois de java et l'ouvrit. Elle découvrit une magnifique chaîne de bras. Ce genre de bijou ne se portait pas sur terre, mais elle en avait souvent vu lors des grandes réceptions au palais. Restait à savoir de quelle manière l'ornement se fixait à son bras ! L'adolescente referma le coffret et l'apporta avec elle dans son assur. Elle le serra dans ses mains et, avec un sourire, se laissa aller à un sommeil réparateur.

Le lendemain, Marguerite et Hosh assistèrent à leur première réunion de crise. Pour l'occasion, tous les aspirants, les gardes des mers du sud, les souverains ainsi que les chefs de guerre et de défense de Lénacie furent réunis dans une salle dont la jeune fille ignorait l'existence. Il s'agissait d'une pièce au plafond bas dont les murs spongieux étouffaient le bruit et servaient de tableau pour écrire. Les jumeaux racontèrent leur rencontre avec les frolacols et le sauvetage des chasseurs. Usi resta de marbre. Impossible de déchiffrer ses pensées. Toutes les informations que le groupe avait sur ces sirènes mutants furent inscrites sur les murs et différentes stratégies de protection de Lénacie et d'aide au royaume des mers du sud furent envisagées en cas d'attaque. Marguerite rageait de savoir qu'ils travaillaient pour rien, son oncle sachant très probablement où se trouvaient les frolacols et comment les faire partir.

– Compte tenu de cette menace, je recommande de renvoyer immédiatement sur terre les aspirants syrmains, déclara le chef de guerre.

Usi réagit aussitôt. Il ne restait qu'un été et demi pour que ses enfants deviennent souverains. Il était hors de question de prolonger la course vers le trône et, par le fait même, d'augmenter les chances que les autres aspirants les surpassent.

– Je ne mets pas en doute les propos de mes neveux, énonça-t-il calmement. Cependant, ils sont les seuls à avoir vu ces êtres...

Comme Hosh ouvrait la bouche pour répliquer, son oncle ajouta prestement en agitant la main comme s'il parlait de crevettes insignifiantes :

– ... à part quelques vieux chasseurs. Aucune attaque n'a eu lieu contre Lacatarina. Il y a fort à parier que ce n'est qu'un groupe isolé et désœuvré, et qu'ils se sont enfuis après avoir perdu leur butin. N'oubliez pas, sirènes, que les frolacols n'ont aucune arme. De plus, Lacatarina est à huit mille kilomètres d'ici. Il est, selon moi, prématuré de mettre fin au séjour des aspirants et de repousser, par le fait même, le transfert de la couronne royale.

Un silence suivit. Marguerite était scandalisée. S'il était vrai qu'aucune des personnes présentes n'avait vu les frolacols, certaines avaient au moins vu le calmar géant. Comment pouvaient-ils encore douter ? Hosh s'apprêtait à prendre la parole lorsqu'il fut devancé par Una, qui n'était pas en parfait accord avec son frère. Après de longs palabres, Usi eut finalement gain de cause.

– Très bien, mon frère. Si tu penses qu'il est prématuré de renvoyer chez eux les aspirants syrmains, nous poursuivrons les stages. Je crois cependant sans l'ombre d'un doute les paroles de Marguerite et Hosh. Je préconise donc que la sécurité de nos frontières soit renforcée, que nous assurions au roi Simon notre soutien en cas d'attaque et que nous envoyions aux capitaines des voiliers un message les incitant à la prudence.

12

Stages

Les stages allaient donc commencer le surlendemain. Dans la soirée, les évaluateurs réunirent les aspirants. Ils leur rappelèrent que seuls ceux qui posséderaient cent cinquante bâtons d'awata à la fin de l'été pourraient poursuivre la course à la couronne. Ils invitèrent chaque couple à parler de leurs réalisations des dernières semaines afin de mériter des bâtons.

Pascal et Pascale furent les premiers à prendre la parole. Les évaluateurs félicitèrent la jeune fille pour sa première place de la compétition de sculpture. Les jumeaux remportèrent trente-cinq bâtons. Avec ceux de l'été précédent, ils en totalisaient ainsi cent dix.

Jack et Jessie firent surtout valoir leurs différentes initiatives, comme le pique-nique qu'ils avaient organisé et les petites attentions qu'ils avaient eues pour le roi et les sirènes nageant dans son sillage. Ils glissèrent négligemment qu'ils avaient soutenu Marguerite et Hosh lorsque le roi les avait jugés pour avoir traversé sans permission le mur de protection de Lacatarina. À cette mention, les sourcils de madame de Bourgogne et de Coutoro se froncèrent. Les détestables cousins récoltèrent eux aussi trente-cinq bâtons, ce qui leur en donnait cent dix-neuf.

Étant donné que tous connaissaient déjà les aventures de Marguerite et Hosh avec le grand blanc et les frolacols, la parole ne leur fut donnée que pour s'expliquer à propos du jugement mentionné par Jack et Jessie. Marguerite fulminait de voir que ses cousins avaient, par une simple phrase, semé le doute dans l'esprit de certains juges quant à leur valeur. En peu de mots, Hosh raconta l'histoire d'Ange.

– Nous avions prévu de vous remettre cinquante bâtons, soit le maximum attribué pour un stage, révéla Coutoro, mais à la lumière de ce que nous venons d'apprendre, mes collègues seront certainement d'accord avec moi si nous en retranchons cinq.

Comme personne ne pipa mot, il poursuivit avec un sourire sournois.

– Nous vous remettons donc quarante-cinq bâtons d'awata, ce qui vous fait un total de cent vingt-neuf.

Occare et Dave furent ensuite conviés à prendre la parole.

– Notre stage au centre de la sécurité s'est bien passé, commença l'adolescente. Nous avons profité du temps qui nous était alloué pour travailler avec les ingénieurs de Lénacie sur le baleinobus.

Marguerite se rappelait très bien ce projet que les jumeaux avaient présenté dans le cadre des épreuves de l'été précédent. Il s'agissait d'un moyen de transport permettant d'amener les bébés syrmains à la surface de façon sécuritaire. Dave avait rappelé aux évaluateurs combien le voyage de ces nourrissons était long et périlleux. Les petits étaient privés de leur mère et devaient subir pour la première fois des variations de pression inévitables, ce qui allongeait considé-rablement la durée du trajet. Les risques d'être repéré par des humains étaient ainsi augmen-tés. De plus, advenant l'attaque d'un prédateur, les gardiens et leurs protégés étaient davantage vulnérables qu'en temps ordinaire.

– Le plus difficile, poursuivit Occare, fut d'établir des dessins précis de façon à pouvoir créer l'illusion d'une véritable baleine.

– En plus de l'apparence physique, expliqua Dave, il est essentiel que le baleinobus se meuve de la même façon qu'un authentique mammifère marin.

– Nous avions estimé que dix sirènes adultes pourraient facilement prendre place à l'intérieur du baleinobus, renchérit Occare, mais une fois l'espace nécessaire au système de roues à engrenages calculé de même que celui réservé aux assurs, il ne restait de la place que pour six sirènes adultes, incluant le conducteur.

– La semaine dernière, trois syrmains sont partis sur le continent pour chercher des matériaux résistants, légers, amovibles et imperméables pour commencer la construction.

Très impressionnés, les évaluateurs octroyèrent quarante-trois bâtons aux jumeaux sous le regard assassin de Jack et Jessie, qui se retrouvaient en troisième position. Lorsque Céleste prit la parole, ce fut pour révéler que leur stage ne s'était pas particulièrement bien déroulé.

– Il se trouve que le sirène en chef nous a séparés, expliqua Céleste. De plus, il nous a changés de département chaque semaine. Nous avons travaillé aux archives, à l'aide à la clientèle, à l'administration de peines pénales ainsi qu'à l'analyse de dossiers.

– Nous n'avions chaque fois qu'un minimum d'instructions, soutint Quillo. Lorsque j'ai abordé la question avec le responsable, il m'a répondu que le but du stage était de voir ce que nous valions.

– Sauf qu'il est difficile de montrer ce dont on est capable lorsqu'on ne sait même pas ce qu'on attend de nous, reprit Céleste.

– Nous avions à peine le temps de nous familiariser avec la tâche à accomplir que hop ! on nous déplaçait ! ajouta Quillo.

L'évaluateur Oscar s'avança.

– Il est vrai que votre stage au département de la Justice ne fut pas marqué par de grandes réalisations. J'ai cependant parlé à différents responsables qui m'ont tous dit que vous vous étiez toujours très bien adaptés. Vous avez été polis et courtois avec les sirènes et votre gentillesse a été très appréciée. Nous avons donc décidé de vous accorder trente bâtons d'awata.

Céleste et Quillo échangèrent un sourire. Ils détenaient maintenant cent neuf bâtons.

– Votre prochain stage est très important, leur rappela madame de Bourgogne. C'est lui qui déterminera les couples qui seront encore dans la course l'an prochain. Après-demain, Marguerite et Hosh, vous vous présenterez au centre de soins. Pascal et Pascale, vous êtes attendus au centre de la sécurité. Occare et Dave, vous vous rendrez au département de la Justice. Céleste et Quillo, vous travaillerez au centre des loisirs et Jessie et Jack, au département de l'Éducation. Bonne chance à tous !

*   *
*

Le lendemain, Hosh et Marguerite profitèrent des quelques heures de liberté qui leur restaient avant d'entamer leur stage. Marguerite n'oubliait pas ses responsabilités envers Ange. Le petit avait beaucoup à apprendre. Les dauphins émettent des « clics » qui rebondissent sur les objets. Grâce à l'écho, ils sont capables de localiser des bateaux ou d'autres poissons et ils détectent, par exemple, la taille, la vitesse et la direction de leur proie. L'adolescente voulait donc consacrer sa journée à enseigner au delphineau comment utiliser son système d'écholocation. Ce qui n'était pas une mince affaire pour la jeune fille, car Ange apprenait surtout par imitation.

Marguerite eut l'idée d'amener le delphineau auprès des dauphins coursiers de la cité, souhaitant qu'il s'intègre à leur communauté. Elle communiquait avec les autres dauphins et jouait avec eux en demandant à Ange de rester près d'elle de façon à ce qu'il participe lui aussi. Marguerite lui avait appris à prononcer son nom et il pouvait maintenant se présenter aux autres. Ange semblait éprouver une affection particulière pour un vieux dauphin et Marguerite se réjouit quand celui-ci donna enfin un peu d'attention à son protégé. Voyant qu'il commençait à lui enseigner une technique de chasse, elle s'éloigna en catimini et retourna au palais en souriant de contentement.

*   *
*

Après une nuit agitée, au cours de laquelle Marguerite rêva que Jack et Jessie, devenus souverains, la bannissaient du royaume, elle se rendit au centre de soins accompagnée de Hosh et d'Ange. Arrivée devant l'édifice, Marguerite fit comprendre à Ange qu'il devait rester à l'extérieur de la bâtisse. Elle avait bien essayé de le laisser avec les dauphins coursiers, mais Ange avait refusé de la laisser s'éloigner sans lui. Il avait beaucoup de difficulté à s'adapter au fait qu'il ne pouvait pas la suivre partout. Jusqu'à maintenant, la jeune fille avait réussi à le garder presque en permanence près d'elle. Toutefois, sachant qu'elle devrait retourner à la surface dans quelques semaines, l'adolescente voulait qu'Ange trouve un autre tuteur.

De plus, elle était consciente qu'en côtoyant ses pairs, il apprendrait beaucoup plus facilement tout ce qu'un delphineau doit savoir pour devenir un dauphin adulte autonome. Malheureusement, Ange était très petit et les grands dauphins ne l'acceptaient pas facilement. Ce matin-là, il devrait retourner seul au palais.

Les jumeaux pénétrèrent dans l'édifice par une des deux colonnes vitrées. Ils longèrent le bâtiment en hauteur jusqu'au troisième couloir, où ils se présentèrent au bureau du directeur. Bien que froid, l'accueil fut courtois. L'administrateur leur fit faire le tour des différentes nageoires que comptait l'hôpital. La première fois qu'il avait employé ce terme, Marguerite n'avait rien compris. Puis elle avait fait le lien avec le mot « aile » employé sur terre pour désigner les sections d'un édifice : à deux cents mètres sous la surface de l'eau, il était évidemment normal d'utiliser le terme « nageoire ».

Le dirigeant leur présenta Louis, un syrmain d'une quarantaine d'années qui portait une chemise orange de guérisseur. Celui-ci leur tendit à chacun une blouse mauve.

– À partir d'aujourd'hui, vous êtes mes assistants ! déclara-t-il. Enfin, si ça vous intéresse.

– Bien sûr, que ça nous intéresse ! s'emballa Hosh, à la fois heureux et soulagé de savoir qu'il se consacrerait à autre chose qu'au nettoyage de coquillages d'aisance.

Marguerite se contenta de sourire, un peu gênée. Elle n'avait aucune connaissance médicale, n'ayant même jamais suivi un cours de premiers soins. Le guérisseur lui rendit son sourire et se dirigea d'un bon coup de queue vers la colonne menant à la nageoire des sirènes âgées.

Lorsque, quatre chants plus tard, leur journée se termina, les jumeaux rentrèrent rapidement au château. Une mauvaise surprise les y attendait.

– Votre journée a dû être très occupée, leur concéda Una d'un air sévère. Comment justifiez-vous votre absence lors du départ des habitants de Lacatarina ?

– Quoi ?! Nous n'avons pas été prévenus de leur départ ! se défendit Hosh.

– Coutoro m'a affirmé, ainsi qu'à tous les délégués, qu'il vous avait envoyé deux poissons messagers : un au deuxième chant du matin et un autre au premier de la mi-journée. Les autres évaluateurs ont vu ça d'un très mauvais œil.

– Arrrgh ! rugit Hosh avant de quitter la pièce dans un courant d'eau.

Marguerite s'attendait inconsciemment à entendre une porte claquer. Elle garda le silence pendant quelques secondes avant de comprendre qu'il y avait bien peu de chances pour que ça se produise au milieu de l'océan.

– Le message ne s'est pas rendu, expliqua-t-elle à sa mère. Je suis triste de ne pas avoir pu saluer nos amis de Lacatarina.

– Je peux au moins t'assurer que Ran était content que tu lui confies Ange.

– Quoi ??? s'étrangla la jeune fille.

– J'étais un peu surprise, mais Ran m'a affirmé qu'il avait reçu un message de ta part lui demandant de ramener Ange dans son lieu de naissance.

– Je n'ai jamais fait ça..., s'écria Marguerite, au bord des larmes. Ange a besoin de moi ! Ce n'est qu'un bébé ! Il ne peut pas changer de bras tout le temps !

La jeune syrmain quitta précipitamment la pièce, poussée par la peur atroce que sa mère ait dit la vérité.

Malgré l'heure tardive, elle se mit en quête d'Ange. Elle l'appela à maintes reprises dans le langage des dauphins. Lorsque le vieux cétacé qui avait commencé à prendre Ange sous sa nageoire vint donner de petits coups de rostre contre son dos en émettant des sons tristes, Marguerite sut que sa mère avait dit vrai. Incrédule, elle se laissa flotter au milieu du jardin intérieur du palais pendant que les larmes naissaient dans ses yeux. Bientôt, sa peine d'avoir perdu son delphineau prit toute la place et une boule se forma dans sa gorge, l'empêchant d'aspirer l'eau normalement. Elle hoqueta de douleur et s'abandonna à sa peine jusqu'à ce que l'épuisement la ramène à sa chambre, où elle s'effondra dans son assur, les yeux fixés au plafond.

13

Alerte

La semaine s'écoula avec une lenteur désespérante. Marguerite avait de la difficulté à se concentrer sur son travail. Elle pleurait souvent, se sentant responsable de ce qui était arrivé à Ange, bien qu'après discussion, Hosh et elle en fussent venus à la conclusion qu'on l'avait tout simplement kidnappé. Marguerite se remémorait tout ce que Ran lui avait appris sur les dauphins, notamment sur leur lien d'attachement. Elle trouvait atroce de penser qu'Ange vivait un second abandon. Car comment pouvait-il voir les choses autrement ? Marguerite ne connaissait personne capable de communiquer avec les dauphins comme elle. Qui expliquerait à Ange qu'elle n'avait pas voulu se débarrasser de lui ? Elle l'imaginait en train de se laisser dépérir à Lacatarina, sans se rendre compte que c'était elle qui ne mangeait presque plus et qui ne dormait que d'un œil.

Au centre de soins, les jumeaux suivaient les directives de Louis afin de l'aider auprès des patients. Rapidement, les deux aspirants apprirent à comprendre le langage non verbal du guérisseur. Ils sortaient de la pièce sur un mouvement de tête de Louis, restaient après son départ pour assurer le confort d'un patient, ajustaient des assurs ou entretenaient des conversations. Ils retrouvaient ensuite Louis quelques chambres plus loin.

Ce jour-là, lorsque le premier chant de la mi-journée résonna, Marguerite fut très surprise de constater qu'il était déjà treize heures à sa montre. Elle alla manger avec son frère et revint trouver Louis pour sa tournée de l'après-midi. Ce dernier les entraîna dans la nageoire des naissances.

Marguerite était troublée. La jeune syrmain avait l'impression de pénétrer dans un temple. Cet endroit avait quelque chose de mystique : la vie y voyait le jour. Elle avançait en donnant d'imperceptibles coups de queue. Des sirènes au terme de leur grossesse progressaient dans les couloirs, les traits tendus par la concentration, aveugles à ce qui les entourait, complètement centrées sur elles-mêmes et sur ce petit être qui remuait en demandant à voir la mer.

Louis entra dans une chambre et prit délicatement le petit siréneau des bras de sa mère.

Marguerite n'avait encore jamais vu un nouveau-né sirène. Celui-ci était chauve comme un nourrisson humain et il remuait doucement sa queue de sirène. Cet appendice était du même bleu que l'eau, comme si le bébé avait des gènes de caméléon. Marguerite apprit que les siréneaux avaient tous une queue bleue et que les syrmains en avait une légèrement plus pâle. Leur couleur définitive n'apparaissait que quelques mois plus tard.

Le guérisseur palpa le bébé d'une main experte et posa quelques questions à l'heureuse maman. Il remit ensuite le bébé dans les bras du père, visiblement très fier de son rejeton, et leur souhaita un bon retour à la maison. Marguerite et Hosh sortirent de la chambre un sourire aux lèvres.

Dans la chambre suivante, un tout autre spectacle les attendait. Une maman était étendue dans un assur, les yeux gonflés d'avoir trop pleuré. Elle tenait un petit paquet contre elle et Marguerite vit un minuscule bout de queue bleu ciel dépasser. La jeune fille se demanda si le nouveau-né était mort. Elle n'osa pas s'avancer et resta en retrait avec Hosh. Louis, pour sa part, s'approcha de l'assur et tendit les bras vers le bébé comme il l'avait fait dans la chambre précédente. Il ne dit pas un mot et défit la couverture. Au contact de la fraîcheur de l'eau, le nourrisson se mit à remuer puis à hurler, ce qui fit sourire Louis. Il replia la couverture et remit le petit dans les bras de sa mère.

– Il est en parfaite santé, déclara-t-il.

– Combien de temps avons-nous ? s'informa la jeune maman, les yeux à nouveau noyés de larmes.

– C'est difficile à dire, répondit le guérisseur en hésitant. Habituellement, autour de neuf mois. D'ici là, sa queue aura pris sa couleur définitive et vous aurez le temps de le sevrer. Certains enfants peuvent rester jusqu'à un an, d'autres à peine six mois. Vous le saurez quand le moment sera venu. Sa queue commencera à perdre ses écailles et il maigrira sans raison. À partir de ce moment, ses jours seront comptés et il est capital que vous n'attendiez pas trop.

– Nous ne sommes syrmains ni l'un ni l'autre, murmura tristement le père.

– Je suis désolé..., compatit Louis. Je dois l'inscrire dès aujourd'hui sur les registres d'adoption. Si vous connaissez quelqu'un à la surface, vous pouvez le recommander. Sinon, nous lui trouverons une bonne famille.

À ce moment seulement, Marguerite comprit l'ampleur du drame qui se déroulait sous ses yeux. Ce bébé était syrmain. Il devrait donc grandir sur terre et ses parents ne pourraient pas s'en occuper. Les larmes de la mère redoublèrent tandis que le père s'allongeait à ses côtés et l'entourait de ses bras. Marguerite, Hosh et Louis sortirent de la chambre en silence. La jeune fille retenait difficilement ses larmes.

Avant même que Louis n'ait le temps de prononcer un mot, il fut appelé d'urgence et partit sur-le-champ, laissant Marguerite et Hosh plantés là. Ils hésitèrent un instant quant à l'attitude à prendre, puis Hosh jugea qu'ils avaient droit à une pause. Ils empruntèrent la sortie la plus proche et nagèrent un moment dans le jardin entourant le centre de soins.

— Je pense que je n'aurai jamais d'enfants, annonça Hosh, ébranlé.

— Ne dis pas ça, objecta Marguerite. Ce n'est pas toujours comme ça.

— Ah non ? Qu'en sais-tu ? rétorqua son frère. Je ne connais pas une seule famille qui n'ait eu à vivre ce drame de près ou de loin.

— De toute façon, tu as le temps d'y songer, éluda Marguerite qui ne désirait pas vraiment en parler.

– Ouais... c'est facile pour toi. Tu n'es pas une sirène. À moins d'être élue reine, tu pourras toujours retourner à la surface... Sauf, bien sûr, si tu as des jumeaux et que l'un d'eux est un sirène. Dans ce cas, tu devras faire un choix. Probablement déchirant...

Marguerite n'avait pas songé à ça. Peut-être ferait-elle mieux de mettre ses enfants au monde sur terre.

– Est-ce qu'un sirène peut naître à la surface ? demanda-t-elle en songeant à la une que ça ferait dans les journaux.

– Non, une syrmain qui accouche sur terre ne peut qu'avoir des bébés humains. Ils ne vivront jamais dans l'océan. Je n'en connais pas la raison. Louis saurait sûrement t'expliquer.

Marguerite demeura songeuse tandis qu'ils retournaient au centre de soins. Étant donné que le guérisseur se trouvait toujours dans la cellule d'opération, les jumeaux décidèrent d'aller donner un coup de main aux sirènes-soignants qui travaillaient auprès des sirènes âgés.

Ils ne revirent pas Louis de la journée et, au troisième chant du soir, ils décidèrent de rentrer au château. Marguerite et Hosh étaient satisfaits de cette journée. Elle avait de loin été la plus intéressante depuis leur arrivée au centre de soins ! Au détour d'un couloir, les jumeaux furent intrigués en voyant un bout de queue bourgogne, qui ressemblait drôlement à celle de Jack, disparaître dans l'une des colonnes menant à l'extérieur. Ils se rendirent à la fenêtre la plus proche. Ils purent alors voir leur cousin, une mallette noire à la main, quitter le centre de soins en jetant de fréquents regards autour de lui.

— On croirait presque qu'il a peur d'être suivi, réfléchit Marguerite à voix haute.

— Ou qu'il a quelque chose à cacher, renchérit Hosh.

Le soir venu, Marguerite se promenait dans le jardin intérieur du palais, songeuse. Qu'était venu faire Jack au centre de soins ? Qu'y avait-il dans sa petite valise ? Marguerite était certaine de l'avoir déjà vue. Était-ce sur le voilier ?

Tout à coup, un étrange sentiment de joie l'envahit. Avant même qu'elle n'ait eu le temps de se retourner, un sourire lui monta aux lèvres en reconnaissant une série de cris semblables à un piaillement.

Quelques secondes plus tard, elle caressait le dos et la tête d'Ange, si énervé qu'il la poussait dans tous les sens avec son rostre. Puis, d'un seul coup, il se calma et vint se placer devant Marguerite. Il la regarda dans les yeux et la connexion qui s'établit entre eux fut parfaite. Il pencha sa tête dans les deux sens puis vint la poser sur l'épaule de l'aspirante. Au bout de quelques secondes, Marguerite bougea et plaça ses mains de chaque côté de la gueule d'Ange en une douce caresse.

— Par quel miracle es-tu revenu ? demanda-t-elle doucement.

D'un battement de queue énergique, Ange se dégagea des bras de Marguerite et s'approcha de l'homme que la jeune fille n'avait pas encore vu.

— M. Brooke ?!

— Eh oui ! C'est bien moi ! Hier, au retour d'un voyage d'affaires, j'ai trouvé ce delphineau à quelques heures de nage de Lénacie.

— Comment cela est-il possible ?

— Je l'ignore, mais comme il avait un aérodynamo portatif sur le dos, je me suis dit qu'il devait appartenir à quelqu'un du royaume et je l'ai ramené.

— Il vous a suivi ? s'étonna la jeune fille.

— Je communique assez bien avec les dauphins, sourit-il.

Comme pour confirmer ses dires, Ange alla lui donner sur l'épaule un ou deux petits coups de rostre affectueux.

– Ce sont vos alliés naturels, devina Marguerite.

– Effectivement. Ce petit était perdu au milieu de nulle part. Il avait faim et très peur. Il m'a suivi sans difficulté quand j'ai mentionné que je rentrais à Lénacie. Lorsqu'il a reconnu le mur de protection de la cité, il est devenu un peu fou. On aurait dit un enfant apercevant le père Noël. Il s'est dirigé droit vers le palais et je l'ai suivi. J'étais loin d'imaginer qu'il vous appartenait.

En quelques mots, Marguerite expliqua à M. Brooke comment elle avait hérité d'Ange et de quelle façon il avait disparu. Pendant ce temps, le delphineau tournait sans cesse autour d'eux. Sans crier gare, il s'éloigna de Marguerite et nagea vers deux sirènes qui pénétraient dans la cour intérieure.

– Tu as retrouvé Ange ! s'exclamèrent en cœur son jumeau et sa mère, enthousiastes.

– M. Brooke me l'a ramené, déclara fièrement la jeune fille.

L'homme d'affaires s'inclina devant Una. Celle-ci lui tendit la main en rougissant légèrement et le remercia d'avoir récupéré le delphineau de sa fille. Lorsque Marguerite lui apprit que les dauphins étaient les alliés naturels de l'homme d'affaires, elle ne se montra nullement surprise. En fait, Marguerite eut même l'impression que les deux adultes échangeaient un sourire de connivence.

*   *
*

Le lendemain, les jumeaux se présentèrent à la galerie d'accueil du centre de soins, où ils pensaient rejoindre Louis. À leur grande surprise, le guérisseur n'était pas là. Marguerite et Hosh firent rapidement le tour des couloirs avant d'arriver à celui des soins intensifs. Ils trouvèrent Louis près d'une fenêtre, à quelques coups de queue des assurs des patients. Il semblait perdu dans la contemplation du parc extérieur.

— Est-ce que ça va ? demanda Hosh.

— Je n'en suis pas certain, soupira Louis. Je viens de mettre un patient en isolement. Il présente plusieurs symptômes d'empoisonnement, mais je n'arrive pas à en déterminer la cause pour l'instant. Je n'ai donc pas de traitement à lui proposer et son état se détériore. Je vais aller faire un tour chez lui pour examiner les lieux. Peut-être découvrirai-je ce qui a pu le mettre dans cet état...

– Peut-on faire quelque chose pour vous aider ? demanda Hosh.

– Pas pour ce cas-ci. Toutefois, si vous pouviez aller passer un peu de temps avec les sirènes âgés, ça m'arrangerait. Mes patients m'attendent déjà et je serai vraisemblablement en retard.

– Pas de problème, chef ! rigola Hosh.

Pendant que son frère parlait avec Louis, Marguerite observait du coin de l'œil le patient en isolement. Sa peau était rougeâtre et la couleur de sa queue, très pâle. Ses bras, son torse et son visage étaient couverts de petits boutons et il tremblait comme s'il avait très froid. « Ça ressemble à la varicelle », pensa la jeune fille en se souvenant de sa sœur Justine qui l'avait attrapée trois ans auparavant.

Quelques heures plus tard, au moment où ils terminaient leur repas du midi, la jeune fille demanda à son frère d'aller chercher le guéris-seur le plus rapidement possible.

Sans poser la moindre question, sentant l'urgence dans la voix de sa sœur, Hosh partit sur-le-champ et, quelques minutes plus tard, Louis arrivait. Un peu contrarié, il espérait que Marguerite avait une bonne raison de le déranger dans son travail. La jeune syrmain ne lui laissa pas le temps de parler.

– Observez la femme à gauche de la distributrice de rouleaux d'algues farcis.

Louis se leva d'un seul coup de queue et rejoignit la sirène. Le guérisseur lui adressa quelques mots avant de l'entraîner vers la cellule d'observation. Lorsqu'il passa devant Marguerite, elle put remarquer qu'elle ne s'était pas trompée et que la femme présentait les mêmes symptômes que le patient de Louis, mais à un stade moins avancé.

Suivant son instinct, Marguerite entraîna son frère vers le couloir des urgences où ils repérèrent trois autres sirènes avec le teint rouge, des boutons sur le corps et une queue aux couleurs pâles. Ils le firent immédiatement savoir à Louis qui envoya un sirène-soignant chercher les patients en question. Au troisième chant de la mi-journée, deux autres patients présents dans le couloir d'urgence avaient manifesté les mêmes symptômes. Ce mal était donc contagieux. Marguerite vit Louis converser avec M. Pyron, le directeur, qu'il avait réclamé aux urgences. La discussion s'envenima et le ton monta. D'après ce que comprit la jeune fille, le guérisseur exigeait la mise en quarantaine du centre de soins afin de maintenir le virus dans ses murs jusqu'à ce qu'il en sache un peu plus. Le directeur refusait catégoriquement afin de ne pas semer la panique parmi les patients. Il promit toutefois d'appeler deux autres guérisseurs en congé ce jour-là pour prêter main-forte à Louis. Puis l'administrateur tourna les talons et disparut en direction de son bureau.

– Idiot ! marmonna Louis entre ses dents en passant derrière Marguerite sans la voir.

La jeune syrmain rejoignit son frère. Que pouvaient-ils faire ? S'il s'agissait d'une épidémie, le dirigeant du centre de soins devait prendre les mesures nécessaires plutôt que de penser à la réputation de son établissement. Par contre, si Louis se trompait et qu'il semait la panique dans la population, les répercussions pourraient s'avérer importantes. En tant qu'aspirants à la couronne en stage, ils avaient un certain pouvoir de décision au sein du centre de soins. Lorsque son oncle avait présenté le défi de cette année, il avait dit : « Nous avons prédéterminé des milieux de stage qui nécessitent une réorganisation des ressources... Vous aurez carte blanche pour modifier et améliorer la situation. »

Tout à coup, deux sirènes-soignants passèrent près d'eux à toute vitesse. Ils entrèrent dans la salle d'attente de l'urgence et repassèrent avec un jeune siréneau sur un assur portatif. Le garçon tremblait de tous ses membres, sa queue était presque complètement blanche et des boutons recouvraient ses bras et son torse. Marguerite se souvint de l'avoir croisé dans un des couloirs un peu plus tôt dans la journée. À ce moment, il lui avait semblé en parfaite santé.

Sa décision prise, elle la communiqua à son frère.

— Allons-y, la soutint-il. Si on se trompe, tant pis ! Je deviendrai aquarinaire plutôt que roi.

— Aquarinaire ? pouffa Marguerite.

— Mais oui, je serai guérisseur pour les poissons et les mammifères marins, expliqua son jumeau.

— Ahhhh ! Je n'avais jamais entendu ce mot-là, répondit-elle à son frère qui la regardait comme si elle avait demandé ce qu'était une crevette.

« Nul doute que ce terme a été inventé par un syrmain, pensa Marguerite. Ça ressemble beaucoup trop à vétérinaire... À moins que ce ne soit l'inverse. Lequel des deux mots est apparu le premier ? »

Bien que visiblement contrarié, M. Pyron les reçut dans son bureau. Malgré elle, Marguerite était impressionnée par ce sirène adulte habillé comme un chef d'entreprise. Étant donné que Hosh se taisait, elle prit les devants.

– Monsieur, comme vous le savez, notre stage a pour but de tester nos capacités à diriger. Le centre de soins a été choisi comme milieu de stage parce que certaines nageoires nécessitent une réorganisation.

– Dans un centre de soins, il y a toujours des couloirs qui nécessitent une réorganisation, répondit le dirigeant d'une voix bourrue où pointait une trace de sarcasme.

– Et comme vous devez également le savoir, continua courageusement Marguerite, nous avons tous pouvoirs au cours de notre stage, en tant qu'aspirants à la couronne, pour modifier et améliorer une situation qui, selon nous, laisse à désirer.

– Où voulez-vous en venir exactement ?

– Avez-vous un protocole d'intervention en cas d'épidémie ? s'enquit Marguerite d'un trait.

Le visage du dirigeant vira si rapidement au rouge que Marguerite se demanda s'il n'était pas en train de contracter les symptômes du mystérieux virus que Louis combattait.

– Nous avons effectivement un protocole à suivre en cas d'épidémie, parvint-il à articuler. Si vous désirez en prendre connaissance, ma secrétaire vous le fera parvenir.

– En fait, reprit Marguerite, ce que nous voudrions, c'est le faire appliquer.

– Pardon ?! rugit le directeur. Vous avez trop profité des courants chauds, jeune fille ! L'exécution de ces mesures exige une réorganisation totale des effectifs du centre de soins et entraîne des dépenses astronomiques ! Je m'y oppose !

Marguerite jeta un regard en coin à son frère. Jusqu'où pouvaient-ils aller ? Hosh prit alors les choses en main. Il n'avait pas été élevé au palais pendant toutes ces années sans avoir acquis certaines habiletés.

– Nous l'exigeons, insista-t-il d'un air princier.

– Bien, lança le directeur d'un ton cassant.

Il tira à lui un coquillage, s'assit et rédigea un mot sur un morceau d'algue. Il le roula et appela sa secrétaire.

– Faites parvenir ce message au roi. De toute urgence ! tempêta-t-il en lui tendant le cylindre. Il y a quand même bien des limites !

Il s'employa ensuite à travailler sans plus prêter attention aux deux aspirants. Les jumeaux prirent le parti d'attendre. Ils avisèrent deux coquillages, y prirent place et gardèrent le silence. Les pensées de Marguerite défilaient à toute vitesse. Le message avait été envoyé à leur oncle. Nul doute qu'il tenterait de leur mettre des bâtons dans les roues et de leur faire une mauvaise réputation auprès des éva-luateurs. « Et si je me trompais ? rumina-t-elle pour la énième fois. J'aurais entraîné Hosh dans toute une galère et je ruinerais nos chances d'être souverains. » Marguerite tournait et retournait dans sa tête les informations qu'elle détenait en essayant de se convaincre qu'ils avaient fait le bon choix.

Un poisson-messager vint mettre fin à ses tergiversations. À la lecture du rouleau d'algues, le directeur leva un sourcil puis l'autre et, fina-lement, ouvrit la bouche de surprise. Si Mar-guerite n'avait pas été si nerveuse, elle aurait sûrement souri de ses mimiques.

– Le roi m'écrit que, selon les termes des stages, vous avez en effet le droit de faire appliquer les mesures et changements que vous jugez bons. Cependant, il spécifie que toutes les conséquences négatives résultant de vos décisions vous seront entièrement imputables.

– Naturellement, compléta Hosh avec un demi-sourire ironique.

– Donc, reprit l'administrateur, si vous persistez dans votre projet, j'émettrai un communiqué précisant que cette décision vous revient.

– Nous aiderez-vous ? demanda Marguerite.

Le chef du centre de soins les observa un moment, visiblement tiraillé entre son désir que les choses ne changent pas et sa peur que les jumeaux aient raison et qu'il n'ait pas agi assez rapidement.

– Je ferai mon travail, conclut-il fermement. Si vous déclarez l'état d'urgence, je l'appliquerai.

– Parfait, s'exclama Hosh. Pouvons-nous voir le protocole ?

Le directeur le fit venir et en expliqua les grandes lignes aux jumeaux. Lorsqu'il eut terminé, il spécifia qu'il fallait avant tout qu'au moins dix patients aient été déclarés contagieux dans l'espace de trois heures. Marguerite réclama la présence de Louis. Le guérisseur arriva le front soucieux. Au grand étonnement de l'administrateur, il leur apprit que quinze patients présentaient des symptômes de contagion et que l'état de l'homme arrivé ce matin se détériorait de plus en plus.

M. Pyron déclara l'état d'urgence dans le centre de soins et écrivit un communiqué avisant les habitants de Lénacie de ces mesures extrêmes. Bien entendu, il spécifia que les aspirants Marguerite et Hosh étaient derrière ces événements extraordinaires.

La jeune fille n'avait pas imaginé la réaction qui naîtrait de cette décision ni tout ce qu'elle impliquerait. Les portes du centre de soins furent automatiquement verrouillées. Des gardes furent postés à chacune d'elles. Plus personne ne pouvait sortir avant d'avoir été mis en quarantaine pendant trois jours. Les patients atteints furent déplacés dans une nageoire isolée. Les patients de l'extérieur qui devaient se faire soigner étaient admis dans un bâtiment annexe. S'ils présentaient les symptômes de la maladie, ils étaient immédiatement transférés et toutes les personnes ayant été en contact avec eux, mises en observation pendant soixante-douze heures. Le personnel devait rester en service et se relayer pour se reposer.

Au début, bien qu'inquiets, tous se plièrent à cette obligation, mais des considérations personnelles et familiales amenèrent bientôt des sirènes à demander des passe-droits. Qui ne furent cependant pas accordés. Le directeur lui-même donna l'exemple en envoyant à son épouse un poisson-messager pour l'aviser qu'il était retenu au centre de soins pour une durée indéterminée.

On remit aux sirènes un masque, des gants et un protège-queue afin d'éviter qu'ils entrent en contact direct avec les patients atteints. Il fallut nourrir les gens prisonniers du centre de soins et essayer de leur trouver un endroit où passer la nuit. Au troisième chant du soir, le calme était revenu dans les différents couloirs.

Au petit matin, Marguerite rejoignit Hosh et plusieurs autres guérisseurs dans les bureaux du directeur afin de faire le point.

– Sirènes, je vous rassure, commença M. Pyron, solennel. Selon le protocole, on peut lever l'état d'urgence après vingt-quatre heures si aucun nouveau cas ne s'est déclaré, annonça-t-il joyeux.

– Dans ce cas, nous resterons tous ici un jour de plus, déclara Louis, qui venait de pénétrer dans la pièce.

– J'arrive du couloir des urgences, avança le directeur, et on m'a affirmé qu'aucun nouveau cas n'avait été repéré depuis le deuxième chant du soir.

– C'est vrai, soutint le guérisseur. Aux urgences ! Toutefois, deux patients de la nageoire gériatrique viennent d'être amenés et ils présentent les mêmes symptômes que les autres.

Des visages consternés se tournèrent vers Louis. Les vingt-quatre prochaines heures promettaient d'être critiques...

14

Des sueurs froides

À la suite de cette mise au point, M. Pyron voulut mettre Marguerite et Hosh en quarantaine en raison de leur titre d'aspirants. Les jumeaux refusèrent catégoriquement. Ils pouvaient être utiles et ne voulaient pas de dispense. On exigea d'eux qu'ils portent en permanence leur masque, leurs gants et leur protège-queue ; ce à quoi ils se plièrent sans même songer à rechigner.

La journée fut éreintante pour tout le personnel du centre de soins. Au fur et à mesure que les heures passaient, les patients parlaient moins fort, se déplaçaient moins. Comme si le fait de se créer un petit coin à soi, un petit nid, pouvait les protéger du fléau. Parce qu'on pouvait maintenant parler de fléau : quarante-quatre sirènes étaient atteints. Des appels à l'aide avaient été envoyés dans la cité et le directeur lut un communiqué à partir d'un des balcons du centre de soins protégé par une membrane isolante transparente. Il ne cacha rien de la situation à la population. Les Lénaciens devaient savoir exactement ce qui se passait si on voulait qu'ils viennent se faire soigner rapidement.

– Si vous connaissez un sirène malade, mettez un masque ainsi que des gants et amenez-le ici ! insista-t-il. Chaque citoyen a le devoir de protéger les autres. Nous avons également besoin de toute l'aide que vous pouvez nous apporter. Un bureau a été installé au centre du parc. On vous y fournira la liste de nos besoins d'heure en heure. Merci !

Les habitants qui se portaient volontaires savaient qu'ils ne pourraient pas ressortir avant d'avoir été en quarantaine dans une nageoire protégée et que les risques de contagion étaient présents. Marguerite fut surprise du nombre de sirènes prêts à aider, de près ou de loin. Tous les aspirants répondirent à l'appel à l'exception de Pascal et Pascale, qui ne pouvaient pas quitter leur poste au centre de la sécurité. La jeune fille était contente de retrouver ses amis, mais elle se serait bien passée de la présence de ses cousins dans de telles circonstances.

– Bravo, cousine ! la nargua Jack lorsqu'il la croisa dans un couloir. Dans le même été, tu affirmes avoir vu des frolacols et tu fais déclarer l'état d'urgence dans le centre de soins !

– Au fait, ajouta en chuchotant sa détestable cousine, je suis désolée pour ton dauphin. On m'a dit que Ran l'avait ramené à Lacatarina. Je pense que tu devrais l'oublier. C'est vraiment dommage, hein ? Un si beau petit dauphin...

Marguerite ne répondit pas. De toute évidence, sa cousine ignorait qu'Ange était de retour au royaume.

*   *
  *

Quillo arriva une heure plus tard avec une magnifique surprise ; il avait réussi à faire admettre Ange dans le centre de soins. Le delphineau sut immédiatement se rendre utile. Il occupa pendant des heures les siréneaux de la nageoire des enfants, transporta une foule d'objets pour les sirènes-soignants et les aida à ajuster les assurs. Il devint vite la coqueluche de cette nageoire.

Dans la soirée, Marguerite entra avec Ange dans la cafétéria et croisa Jessie. Lorsque sa cousine vit le delphineau, elle laissa tomber le morceau de pâté de clipsa qu'elle s'apprêtait à manger. Puis la surprise céda la place à la colère dans ses yeux. Marguerite n'eut plus de doute quant au rôle joué par sa cousine dans le départ d'Ange pour Lacatarina et son abandon dans l'océan. L'adolescente sentit à son tour la colère l'envahir. Elle accentua la pression sur le dos d'Ange afin de se calmer et rejoignit son frère qui discutait avec Pascale.

*   *
*

Le lendemain, au premier chant du matin, Marguerite passa voir Louis. Ses yeux cernés et son teint blafard ne diminuaient en rien la détermination que la jeune fille sentait en lui. Il voulait trouver la source de ce mal qui touchait maintenant cent sept sirènes et y mettait l'énergie de trois hommes.

Marguerite regrettait qu'à cette profondeur, les rayons du soleil ne lui parviennent pas. L'énergie qu'elle pouvait en retirer sur terre lui manquait cruellement. Ses parents aussi. Contrairement à l'été précédent, la jeune fille s'ennuyait moins de sa famille terrienne. Peut-être parce que, ayant déjà vécu un été dans le royaume de Lénacie, elle savait avec certitude qu'elle allait les revoir, ou alors parce qu'elle se sentait de plus en plus chez elle au cœur de ce royaume... Quoi qu'il en soit, à l'instant présent, toutes ses pensées allaient à ses parents, à ses sœurs qui s'amusaient au camp de jour et à ses amies qui se faisaient certainement bronzer au bord d'une piscine.

Elle n'entendit pas Hosh se glisser près d'elle.

– J'ai une mauvaise nouvelle, annonça-t-il doucement. On a diagnostiqué chez Quillo tous les symptômes de la maladie et on l'a mis en quarantaine.

Marguerite jeta un regard angoissé à son frère avant de se précipiter vers le secteur d'isolement.

Elle chercha Quillo des yeux et finit par repérer Céleste dans la salle commune près du troisième assur supérieur. Marguerite trouva l'aspirant plongé dans un sommeil fiévreux. Sa queue orange avait blanchi et ses paumes, sa gorge ainsi que son visage étaient couverts de boutons rouges. Il était vraiment en piteux état. Hosh la rejoignit et ils demeurèrent près de l'aspirant plusieurs minutes ; puis Louis arriva en trombe dans la pièce. Il prit la température de Quillo, lui préleva une écaille et ordonna au sirène-soignant qui le secondait qu'on le transporte dans une cellule privée. Il partit comme il était arrivé, en faisant tournoyer l'eau derrière lui.

Marguerite et Hosh se rendirent aux urgences où les besoins étaient nombreux. Ils travaillèrent de concert avec les sirènes-soignants toute la journée. La jeune fille fut surprise de constater que Jack et Jessie avaient également choisi cette nageoire et qu'ils ne prenaient pas une minute de repos. Ils étaient calmes, souriants et efficaces. Vers vingt heures, Marguerite alla prendre la relève de Céleste auprès de Quillo afin que la jeune fille puisse se reposer. Trois jours se succédèrent ainsi. Chaque journée apportait son nouveau lot de patients atteints de la maladie. La fatigue se faisait sentir chez tous les travailleurs et les bénévoles du centre de soins.

Au petit matin de la sixième journée, Marguerite se réveilla en sursaut après quatre heures de sommeil. Qu'avait-elle découvert dans son dernier rêve ? La jeune fille sentait que c'était crucial... Elle essaya de se remémorer. Elle était au centre de soins et regardait les registres des patients atteints de la mystérieuse maladie quand tout à coup quelque chose lui avait sauté aux yeux et l'avait réveillée. Mais quoi ?!

La jeune syrmain se laissa flotter hors de son assur. Elle se rendit à grands coups de queue à la cafétéria, complètement perdue dans ses pensées. Une fois attablée devant son pâté de

clipsa et ses œufs de morue, elle trouva. Eurêka !
Marguerite se rua aussitôt vers la nageoire d'isolement pour y voir Louis.

– Louis ! l'interpella-t-elle, essoufflée.
Connaissez-vous chaque dossier par cœur ?

– Pourquoi ? s'enquit-il, prudent.

– Y a-t-il des syrmains parmi les gens
touchés ?

Le guérisseur ouvrit la bouche, la referma,
fronça les sourcils et s'élança vers le bureau des
sirènes-soignants. Il prit une pile de dossiers et
entreprit d'en étudier deux. Il mit presque tous
les dossiers dans celle de droite. Lorsqu'il eut
fini, la pile de gauche comportait seulement
trois dossiers. Il les prit, les ouvrit et y jeta un
rapide coup d'œil, avant de les placer eux aussi
sur la pile de droite.

– Comment ai-je fait pour ne pas m'en
apercevoir ?

– Il n'y a pas de syrmain ? questionna
Marguerite.

– Si, un seul. Un petit siréneau qui n'est
jamais allé à la surface. Ce qui pourrait vouloir
dire que les syrmains sont immunisés contre
ce fléau.

– Ou qu'ils mettent plus de temps à en manifester les symptômes, compléta la jeune fille.

– Allons trouver le directeur, décida Louis, impressionné par les déductions de Marguerite.

M. Pyron écouta le guérisseur lui annoncer qu'il allait, dès à présent, orienter ses recherches à partir du constat de Marguerite.

– Inutile, trancha le directeur. J'arrive de la nageoire d'isolement et l'état des premiers patients admis s'améliore d'heure en heure. De plus, aucun nouveau cas n'a été enregistré depuis hier. Si ça continue, je ferai cesser les mesures d'urgence au troisième chant demain matin. Il semble que nous aurons eu une belle frousse, tout simplement, ajouta-t-il en regardant l'aspirante.

La journée s'écoula lentement. Les premiers malades atteints continuaient de prendre du mieux. Au premier chant du soir, pendant que Marguerite et Hosh mangeaient avec Occare et Dave, ils reçurent une missive d'un des poissons-messagers du palais.

– Hum... Ça semble venir des évaluateurs, supposa Jessie qui passait derrière Hosh avec un plateau-repas.

– Nous sommes convoqués au palais dès que les mesures d'urgence seront levées pour répondre de notre décision de mettre le centre de soins en quarantaine, résuma l'aspirant.

– Pas de chance, sourit sa cousine. Je pense qu'après avoir mis tout le monde un trident à la main pour un petit virus de rien du tout, vous pouvez dire adieu à la couronne.

Sur ces bonnes paroles, Jessie s'éloigna.

– Un trident à la main ? répéta Marguerite, déroutée.

– Ça veut dire en état d'alerte ou sur les dents, si tu préfères, élucida Dave.

– Oh, Hosh ! Je suis tellement désolée de ce qui arrive, s'excusa Marguerite.

– Tu ne pouvais pas savoir, rétorqua Occare à la place de Hosh. Compte tenu des circonstances, vous avez bien agi et vous avez eu beaucoup de cran.

*   *

*

Au cours de la nuit, Céleste vint réveiller Hosh et Marguerite. L'état de Quillo s'était détérioré. Inquiet, Hosh resta aux côtés de son meilleur ami pour le soigner. Au matin, Marguerite le rejoignit, obnubilée par la fin imminente, pour Hosh et elle, de la course à la couronne. Arrivée au chevet de Quillo, elle constata qu'il avait maintenant de la difficulté à extraire l'oxygène de l'eau. Sa poitrine se soulevait laborieusement et son teint était de cendre. Comment la situation avait-elle pu dégénérer aussi vite ? Un mois et demi plus tôt, Marguerite se promenait insouciante sur le pont du voilier de Cap'tain Jeff. Et puis, il y a deux semaines à peine, elle assistait à un bal dans les lointaines mers du sud. Les yeux fermés, elle laissa ses pensées vagabonder vers la cité de Lacatarina. Un sourire fugace apparut sur ses lèvres. Tout à coup, elle ouvrit grand les yeux, comme frappée par la foudre. Elle observa Quillo et la cellule de soins dans laquelle ils nageaient.

– Je pense avoir peut-être trouvé une solution pour le guérir, annonça la syrmain à son frère. Te rappelles-tu les éponges de mer servant à assainir l'eau autour de la cité de Lacatarina ?

– Bien sûr, mais l'eau d'ici n'a rien de malsain, rétorqua Hosh.

– Je crois me souvenir que Mobile m'a parlé d'une espèce d'éponge assez grande pour contenir un homme. Une seule de ces éponges peut filtrer des dizaines de litres d'eau par jour.

– Je sais où en trouver. Ça s'appelle des éponges-barriques géantes. Elles ont près de deux mètres de haut.

– Si on plongeait un sirène dans une de ces éponges, l'eau purifiée contribuerait peut-être à assainir son corps.

– Mais comment le sirène en question pourra-t-il respirer ?

– Que veux-tu dire ?

– D'après ce que je sais, l'eau pénètre dans l'animal par ses pores et en ressort par l'oscule. C'est l'ouverture à son sommet, précisa Hosh devant l'air interrogateur de sa jumelle. Comme l'éponge extrait l'oxygène de l'eau pour respirer, il n'en reste peut-être plus beaucoup à l'intérieur pour un sirène.

– Peut-être pourrions-nous le suspendre d'une façon ou d'une autre au-dessus ?

– Et tu penses vraiment que ça pourrait le guérir ?

– Je l'ignore... répondit Marguerite en ouvrant les mains dans un geste d'impuissance. Louis dit que le corps des sirènes malades est intoxiqué. C'est ce qui l'embête le plus. En outre, il a essayé tous les remèdes qu'il connaît ainsi que plusieurs contrepoisons qu'il a fabriqués. Peut-être le remède se trouve-t-il tout simplement dans la nature.

Hosh opina du chef. Ils convinrent d'en parler à M. Pyron. Le directeur les reçut, mais rejeta d'emblée leur idée.

– J'ai accepté d'instaurer l'état d'urgence parce que j'ai eu la confirmation du roi qu'il était en votre pouvoir de l'exiger. De plus, en raison de la vitesse à laquelle le virus se propageait, je dois avouer que vous auriez pu avoir raison. Mais les choses sont bien différentes maintenant. L'état des patients s'améliore. Je suis certain que vous connaissez les dangers d'être à moins de quatre-vingts mètres de la surface. C'est à cette profondeur que vivent les éponges-barriques. Je refuse d'exposer ainsi la vie de citoyens de Lénacie.

– Et si nous l'exigeons ? insista Hosh.

– Vous n'êtes plus en mesure d'exiger quoi que ce soit, jeune sirène, affirma l'administrateur en prenant sur son bureau un rouleau d'algues aux couleurs du palais.

À la fois déçus et furieux devant cette fin de non-recevoir, les jumeaux sortirent du bureau. En exposant leur idée à M. Pyron, ils s'étaient convaincus qu'ils détenaient la solution. Ne renonçant pas, ils allèrent trouver Louis et lui expliquèrent leur idée.

— Je n'avais pas pensé à cela, avoua-t-il, mais cette solution n'est pas envisageable en raison de l'emplacement des éponges. Et puis, cessez de vous inquiéter. L'état de tous les patients s'est amélioré. Quillo suivra le même courant.

Marguerite était frustrée de ne pas être écoutée. « C'est ça, s'il meurt, ce sera de votre faute ! » avait-elle envie de leur crier. Cependant, une petite partie de son cerveau l'en empêchait, lui marmonnant que les adultes avaient peut-être raison. Elle prit son mal en patience, laissa Hosh retourner au chevet de Quillo et se rendit à la nageoire d'urgence pour aider.

— La quarantaine sera levée dans un chant ou deux, disait Jessie à une dame qui souhaitait retourner chez elle.

Marguerite passa au-dessus d'elles et poursuivit sa route vers la nageoire des sirènes âgés. Elle n'avait pas assez d'énergie pour travailler aux côtés de ses cousins. Un chant plus tard, elle surprit une conversation entre deux sirènes-soignants.

– Il allait beaucoup mieux hier, mais depuis ce matin, il présente des difficultés respiratoires et les boutons qui recouvrent son torse sont purulents.

– C'est inquiétant. J'ai noté les mêmes symptômes chez madame Jeanne.

– Nous allons les ramener dans la nageoire d'isolement.

Que se passait-il ? L'adolescente classa à la hâte les dernières bandes d'algues qui se trouvaient dans son sac et s'élança vers la cellule de Quillo.

Son état ne s'était pas amélioré. Comme elle s'y attendait, Marguerite découvrit Hosh et Céleste au chevet de l'aspirant. La jeune fille apprit que plusieurs des patients qui avaient pris du mieux la veille éprouvaient maintenant de la difficulté à respirer. Les sirènes-soignants, exténués par cette semaine de garde intensive, étaient découragés par ce revirement de situation. Le virus était en train de muter !

– C'est décidé, lança Marguerite, nous allons prendre les choses en main. Va chercher Occare et Dave, dicta-t-elle à son frère.

Tout d'abord, il fallait trouver un moyen de sortir du centre de soins. En raison de l'épidémie, toutes les portes de l'édifice étaient gardées. De plus, aucun des aspirants ne pourrait se promener dans la cité sans y être repéré. L'adolescente se mit à réfléchir intensément.

– J'ai une idée ! s'écria-t-elle lorsque son frère revint avec leurs amis.

Marguerite leur exposa son plan et ils se mirent tous au travail avec enthousiasme. Céleste, Occare et Dave n'avaient pas hésité une seule seconde à les soutenir dans leur entreprise.

15

Les éponges-barriques

Précédant Ange et Céleste, Marguerite s'avança dans la nageoire des sirènes âgés.

— Pourquoi ici ? s'enquit Céleste.

— C'est la porte la moins bien surveillée. Comme nous sommes dans le secteur des sirènes âgés, ils n'ont posté qu'un seul garde. Ça va, soupira Marguerite, elle a réussi !

La jeune fille venait d'apercevoir Occare, un trident entre les mains.

— Bravo ! lui lança Céleste.

— Ça n'a pas été bien difficile, répondit Occare, modeste. Le pauvre sirène dormait pratiquement debout. Lorsque j'ai offert de le remplacer jusqu'au prochain tour de garde, en agitant sous ses yeux un rouleau aux couleurs du palais, il n'a pas hésité une seconde à me donner sa place et son trident.

– Par quel miracle as-tu réussi à obtenir une autorisation officielle ? s'étonna Céleste tandis que Marguerite plaçait dans la gueule d'Ange un rouleau d'algues et lui chantonnait une série de cliquètements.

– J'ai eu la chance qu'il n'y regarde pas de trop près, sourit la jeune fille. En réalité, c'est la convocation de Marguerite et Hosh devant les évaluateurs.

Voyant qu'Ange était prêt, Marguerite ouvrit la porte d'algues, le laissa sortir et la referma rapidement.

– Nous reviendrons dans deux chants avec Quillo ! murmura la jeune fille à Occare.

– Que faites-vous ici ? demanda Jack en surgissant à l'autre bout du couloir.

– Nous sommes venues tenir compagnie à Occare quelques minutes. Et toi ? lança-t-elle du tac au tac.

Jack ne se donna pas la peine de répondre, mais il leur jeta un regard suspicieux. Marguerite serra la main de Céleste. La dernière chose dont ils avaient besoin, c'était d'avoir le couple J et J dans les nageoires.

Lorsque le deuxième chant du soir fut chanté, Marguerite, aidée de Céleste, enfila un masque à Quillo de façon à ce qu'il recouvre son visage tout en maintenant ses branchies dégagées. Elles cachèrent les mains du sirène et ajustèrent son protège-queue afin que personne ne puisse le reconnaître. Elles l'installèrent ensuite le plus délicatement possible sur un assur portatif. Une des extrémités de ce type d'assur était munie de deux anses. Un peu comme avec un sac à dos, Marguerite passa ses bras dans chacun des anneaux de la civière de transport de façon à pouvoir remorquer le lit qui flottait à deux coups de queue derrière elle.

Elle le traîna jusqu'à la nageoire des sirènes âgés. Heureusement, il faisait nuit ; la plupart des patients dormaient et le personnel était réduit au minimum. Le plus délicat restait cependant à faire : se rendre sans encombre jusqu'à Occare...

Marguerite et Céleste ajustèrent leur masque. On ne voyait plus maintenant que leurs yeux. Doucement, en déplaçant le moins d'eau possible, elles s'engagèrent dans les couloirs. À deux reprises, elles durent se cacher dans une chambre le temps de laisser passer un sirène-soignant avant qu'il ne les voie. Elles atteignirent finalement la porte de sortie. Le trajet qu'elles auraient dû parcourir en une quinzaine de minutes leur en avait pris plus du double. Les yeux d'Occare se remplirent de larmes en voyant Quillo. Survivrait-il ? Pourvu que Marguerite ait vu juste !

Occare leur ouvrit la porte. Céleste et Marguerite la franchirent avec leur précieux fardeau. Les adolescentes s'adossèrent à l'édifice. Marguerite inspecta soigneusement les environs. Soudain, elle vit deux chars approcher. Les battements de son cœur s'accélérèrent. Un petit cri aigu lui parvint. Quel soulagement quand elle reconnut Hosh, en compagnie de Dave et Ange !

Les jeunes filles attendirent que les chars soient à leur hauteur. Les garçons portaient une veste de la garde du palais et Pascale était avec eux.

– Comment avez-vous réussi à avoir ces chars ? s'émerveilla Céleste.

– Tout le mérite revient à Pascale, chuchota Hosh.

Pascal et Pascale avaient reçu le message de Marguerite apporté par Ange. Pascale avait immédiatement quitté son poste et, pendant que Dave et Hosh se procuraient des vestes, elle était allée chercher des chars au palais. Expédition qui n'avait pas été sans danger, mais comme l'aspirante s'était liée d'amitié avec un jeune garde, depuis le début de son stage au centre de la sécurité, elle avait pris l'initiative de lui demander son aide. Très heureux de l'intérêt que lui portait la belle sirène, il n'avait posé aucune question et lui avait fourni deux chars.

– Tout est en place, assura Pascale. Marguerite, Pascal te fait dire qu'il se servira de sa montre d'humain et que tu dois faire de même afin de traverser le mur de protection à vingt-deux heures trente exactement. L'alarme ne se déclenchera pas.

Marguerite et Hosh installèrent Quillo de leur mieux. Céleste prit place près de son jumeau et Hosh conduisit le char vers les limites de la cité. Dave suivait dans l'autre char avec Pascale. Ils ne croisèrent pratiquement personne.

Le cœur de Marguerite fit un nouveau bond lorsqu'elle vit un char des gardes de Lénacie se diriger vers eux. Hosh eut cependant la présence d'esprit de leur tourner le dos en s'assurant que sa veste était bien visible. La chance leur sourit. Lorsque Marguerite trouva le courage de regarder par-dessus son épaule, il n'y avait plus personne. Ils atteignirent les limites de la ville sans plus d'obstacles. La syrmain regarda sa montre de plongée et constata qu'il leur restait une vingtaine de minutes avant l'heure fixée. Ils étaient très éloignés de la route qu'ils devaient prendre pour se rendre aux éponges-barriques géantes. Hosh continua donc son chemin en longeant le mur de protection, de façon à se rapprocher le plus possible de leur destination finale.

À vingt-deux heures trente précises, Marguerite lui fit signe. Hosh lança leur char dans le brouillard du mur de protection, suivi de près par Dave. Ils priaient tous secrètement pour que Pascal ait effectivement réussi à désactiver les dispositifs d'alarme du centre de sécurité.

*   *

*

Au bout de quelques kilomètres, Ange se mit à s'agiter frénétiquement autour de leur char.

– Hosh, arrête-toi une minute, réclama Marguerite. Peut-être que son aérodynamo portatif n'est pas bien installé.

– Fais vite, grogna son frère en tirant sur les rênes.

Sitôt le char immobilisé, Ange devint encore plus turbulent. Il fit deux fois le tour du véhicule et s'arrêta derrière en regardant vers Lénacie. Il lança une série de cliquètements menaçants.

– Nous sommes suivis ! s'alarma Marguerite.

– Les gardes de la cité ?

– Sûrement.

– Combien sont-ils ?

– Je l'ignore.

– Continuons ! trancha Dave qui avait immobilisé son char à côté de celui d'Hosh. S'ils nous rejoignent, je ferai diversion et vous continuerez seuls. Je ne ménagerai aucun effort pour vous donner le temps de fuir avant qu'ils ne m'attrapent.

– C'est hors de question, protesta Marguerite. Pense à la couronne.

– Je préfère me concentrer sur Quillo, rétorqua Dave. C'est notre priorité.

Le syrmain avait raison. Pendant un instant, Marguerite avait oublié leur ami blessé pour laisser l'angoisse l'envahir. Elle lança un cri strident aux dauphins qui tiraient les deux véhicules et les mammifères repartirent à vive allure. Malheureusement, ils étaient moins rapides que leurs poursuivants et, au bout d'un moment, l'adolescente put voir se profiler au loin le contour d'un char. Il n'y en avait qu'un, mais à ce rythme, les gardes les auraient bientôt rejoints. Dave leur fit un signe d'au revoir de la main. Il tira sur les rênes de son char et le fit bifurquer vers la droite. Marguerite eut alors une idée.

– Ange, suis Dave et Pascale et incite les dauphins des gardes à te suivre !

Le delphineau partit immédiatement, fier d'avoir une mission. « Pourvu que ça fonctionne », pria Marguerite. Elle encouragea les delphinidés dirigés par Hosh à accélérer encore l'allure. Elle pouvait entendre Ange lancer des cris joyeux aux dauphins des gardes. Pendant quelques instants, elle crut que leur stratagème ne fonctionnerait pas, puis le véhicule de leurs poursuivants pivota. Les gardes venaient de prendre Dave en chasse.

– Continue, Hosh, ils ne s'intéressent plus à nous, l'encouragea Céleste.

Bien que munis d'aérodynamos portatifs, les dauphins peinaient à maintenir le rythme. Ces delphinidés faisaient partie de la douzième génération de dauphins élevés à Lénacie. Leur corps s'était lentement adapté aux profondeurs et au milieu fermé du royaume. Comme ils étaient en ascension constante, la pression était moins forte, l'eau plus chaude et les prédateurs plus nombreux. Tous ces changements rendaient les dauphins extrêmement nerveux.

M. Pyron avait appris à Marguerite que les éponges-barriques vivaient à près de quatre-vingts mètres de la surface. « Une chance qu'il fait nuit, pensa-t-elle. S'il fallait ajouter aux dangers de l'océan celui des plongeurs ! » Avaient-ils eu raison de partir ainsi sans pro-tection ? La jeune fille entendait Gaston, son père adoptif, lui répéter que le courage flirte parfois avec l'inconscience.

Au moment où elle s'apprêtait à demander à Hosh, pour la centième fois au moins, s'ils arrivaient bientôt, elle vit se profiler au loin un bien curieux paysage. « On dirait des fourmi-lières géantes », s'étonna l'aspirante au trône. En fait, les jumeaux faisaient face à une quin-zaine d'éponges-barriques. De forme conique, elles mesuraient près de deux mètres. Leur couleur variait du gris violacé au rouge brun.

Lorsqu'ils furent au milieu des éponges, Marguerite et Hosh sortirent du char et s'approchèrent de l'une d'elles. L'énorme animal marin impressionnait la jeune fille, qui ne se voyait pas y pénétrer.

– Je te confirme qu'on ne peut pas aller à l'intérieur, déclara son frère, découragé, après avoir examiné l'ouverture de l'éponge.

– À cause du manque d'oxygène ?

– Non, regarde ! Les éponges sont très cassantes. Si elles sont endommagées, elles auront du mal à filtrer l'eau et à se nourrir. Elles seront condamnées.

– Qu'allons-nous faire alors ?

– Eh bien, ton idée de suspendre un sirène au-dessus est sans doute la meilleure étant donné que l'eau qui en sort est purifiée.

Marguerite adressa un grand sourire à son jumeau et ils retournèrent précipitamment jusqu'au char. À l'aide de Céleste, ils en sortirent Quillo avec le plus grand soin. Celui-ci respirait de plus en plus difficilement et les boutons sur son visage étaient presque tous purulents. Avec précaution, Hosh enroula une longue corde autour de la taille de son ami. Il donna un des bouts à Céleste et garda l'autre.

– Va au pied de l'éponge et coince la corde sous une grosse roche, l'enjoignit-il.

Lorsque ce fut fait, il fit la même chose de l'autre côté. Ainsi, bien amarré de chaque côté, Quillo flottait au-dessus de l'éponge-barrique, la tête tournée vers le sol.

– Nous n'avons plus qu'à attendre, déclara Marguerite.

Elle avait la certitude que si leur plan ne fonctionnait pas, c'est une dépouille qu'ils ramèneraient à Lénacie. Elle était dans un tel état d'épuisement et d'énervement que, maintenant qu'ils avaient fait tout ce qu'ils pouvaient et que la pression se relâchait, de grosses larmes lui montaient aux yeux. Elle retourna au char, telle une automate, prit trois autres cordes et en tendit une à son frère et une à Céleste. Elle attacha bien solidement la sienne autour de sa taille et chercha une grosse pierre pour la glisser dessous. Lorsqu'elle l'eut trouvée, elle appela les dauphins à elle et les pria de veiller sur leur sommeil. D'un petit coup de rostre sur sa joue, ils lui confirmèrent qu'ils avaient compris. Marguerite ferma les yeux tandis que Hosh et Céleste se mettaient eux aussi à la recherche d'une roche assez lourde pour les retenir.

Lorsque Marguerite rouvrit les yeux, la première chose qu'elle vit fut l'eau claire autour d'elle. « C'est le jour », pensa-t-elle. Elle regarda machinalement sa montre et constata qu'il était onze heures. Un sourire de satisfaction étira ses lèvres quand elle réalisa qu'elle avait dormi plus de neuf heures. Elle se sentait si reposée, si bien ! Elle détacha sa corde, s'assura que son frère et Céleste flottaient toujours non loin d'elle et se dirigea vers Quillo. Elle avançait lentement, craignant de le découvrir sans vie. La jeune fille n'avait jamais été en contact direct avec un mort et elle réfléchit à toute vitesse à ce qu'elle ferait si cela se produisait.

Marguerite poussa un soupir de soulagement en constatant qu'il respirait toujours. Elle l'observa attentivement. Les boutons sur son visage étaient toujours aussi nombreux, gros et purulents, et sa queue était toujours très pâle. Quelque chose cependant la retenait sur place. Il respirait. Voilà !

– Il ne cherche plus son souffle ! s'emballa Marguerite, rassérénée.

L'adolescente sentit l'espoir renaître. Tout allait fonctionner, elle en était certaine ! Elle se rendit au char pour voir si ses amis avaient pensé à emporter des vivres. Elle mangea une partie de ce qu'elle trouva.

Son frère se réveilla vers quatorze heures.

– J'ai l'impression d'avoir dormi trois jours, sourit-il en la voyant. La qualité de l'eau est extraordinaire. C'est extrêmement reposant. Comment va Quillo ?

– De mieux en mieux, annonça Marguerite en tendant à son frère un pâté de clipsa.

– Allons le voir ! suggéra Hosh en y mordant avec appétit.

Les jumeaux découvrirent que la queue du sirène reprenait tranquillement des couleurs.

– Quillo ? l'appela doucement Céleste qui venait de se joindre à eux. Quiiiillllo ?

Les paupières de son frère papillonnèrent, puis s'ouvrirent complètement. Il regarda la jeune fille avec étonnement. Il revenait de loin.

– Tout va bien, le rassura-t-elle. On prend soin de toi.

Quillo tourna faiblement la tête des deux côtés en retenant difficilement une grimace de douleur. Il finit par observer le paysage sous lui et découvrit l'oscule de l'éponge-barrique.

Puis, relevant la tête vers eux, il balbutia d'une voix rauque :

— Je pense que vous m'avez sauvé la vie...

— Tu dois continuer à te reposer, l'interrompit Hosh, rempli d'émotion. Tu es loin d'être guéri.

— Il faut maintenant penser aux autres malades, affirma Marguerite en observant son frère et Céleste.

Au même moment, les trois amis se retournèrent d'un même mouvement. Leur sixième sens les avertissait que quelque chose approchait. Sans prononcer un mot, ils entourèrent Quillo. Une forme se dessinait au loin. Difficile pour le moment de l'identifier.

— Que ferons-nous s'il s'agit de plongeurs ? paniqua Céleste.

Marguerite scruta les environs. Impossible de se cacher. Ils n'avaient qu'une solution : se sauver avec le char. Elle appela les dauphins, que Hosh entreprit aussitôt d'atteler. Les minutes semblaient des heures à Marguerite, qui tremblait de tous ses membres. Si les humains avaient des sonars, ils les avaient assurément repérés. Quelle catastrophe ! Elle avait mis tout le monde dans le pétrin...

— Ce sont les nôtres ! cria tout à coup Céleste.

Elle disait vrai. Maintenant qu'ils s'étaient suffisamment rapprochés, Marguerite pouvait, elle aussi, distinguer les trois chars lénaciens tirés par des mammifères marins. Hourra ! La situation ne pouvait que s'améliorer à partir de cet instant. Du moins, c'est ce que pensait Marguerite...

16

Révélations chocs

Les véhicules s'immobilisèrent près d'eux. Louis s'éjecta à toute vitesse du sien, sa trousse de guérisseur à la main, et fonça sur Quillo. Il s'arrêta net en apercevant le jeune sirène.

– Tu vas mieux ? s'écria-t-il, estomaqué. L'état des patients du centre de soins s'est tellement détérioré depuis hier que je pensais te retrouver à l'article de la mort.

– Les éponges-barriques sont miraculeuses ! s'enthousiasma Marguerite. L'eau est si pure ici que j'ai moi-même récupéré mon énergie en quelques heures.

Le guérisseur ausculta Quillo, soutenu par Céleste et Hosh. Étant loin d'avoir récupéré toutes ses forces, l'aspirant montrait encore des signes d'épuisement. Ensuite, Louis observa attentivement le site et la façon dont Quillo était installé au-dessus d'une éponge-barrique.

– Nous soignerons les autres patients de la même manière, décréta-t-il. La quantité d'éponges n'est cependant pas suffisante pour que nous nous occupions de tous en même temps. Dès que quelques malades iront mieux, je les renverrai à Lénacie et, de là, les guérisseurs m'en enverront d'autres. Vous trois, demeurez ici afin de finir de récupérer complètement de la fatigue accumulée au cours de la semaine et veiller sur votre ami jusqu'à mon retour. Trois gardes resteront avec vous pour assurer votre protection.

Le guérisseur fit le tour des lieux afin de dresser la liste de tout ce dont il aurait besoin pour soigner les malades et garantir leur sécurité. En se fiant au temps de guérison de Quillo, Louis estima que deux jours seraient nécessaires pour soigner chaque patient en phase critique.

Il revint au cours de la nuit, accompagné de plusieurs gardes du palais et de dix chars. Huit d'entre eux transportaient un malade et un sirène-soignant. Des vivres ainsi que des articles de soins et des armes occupaient les deux autres. Les patients furent rapidement installés au-dessus des éponges géantes. Sur ordre de la reine, les aspirants étaient tous rappelés à leur poste dès le premier chant du matin.

Hosh avait hâte de retourner dans des eaux plus froides. Au moment du départ, Marguerite nagea jusqu'à Quillo. Il dormait toujours au-dessus de son éponge. La jeune syrmain ne le dérangea pas et rejoignit son jumeau près d'un char. Céleste avait décidé de rester auprès de son frère et de prendre soin de lui.

Les aspirants retournèrent à la cité escortés de deux gardes. Hosh voulut se rendre au palais afin de rassurer sa mère qui devait être morte d'inquiétude après cette longue semaine. Les jumeaux y firent donc un saut pour découvrir que les souverains avaient été mis en quarantaine pour ne pas être contaminés par le virus. Ils envoyèrent un poisson-messager à la reine et se rendirent ensuite au centre de soins, comme l'avait exigé Una.

Une fois sur place, Marguerite et Hosh se rendirent compte qu'il régnait une effervescence inhabituelle dans l'établissement. Tous voulaient profiter du traitement miracle et rentrer enfin chez eux. Le personnel, qui n'avait pas pu se reposer dans l'eau pure comme les aspirants, était débordé et épuisé.

Avec l'assentiment du directeur, le frère et la sœur prirent les choses en main. Ils dressèrent la liste de tous les patients atteints du virus et, à l'aide des guérisseurs, déterminèrent la gravité de leur état, de façon à favoriser les malades les plus atteints.

Au cours des quatre jours qui suivirent, le nombre de bénévoles augmenta sans cesse. Les sirènes vinrent aider à nettoyer le centre de soins et à tenir compagnie aux malades des différents étages afin d'alléger le travail des employés.

Ange ne voulait plus s'éloigner de Marguerite d'un coup de nageoire. Il virevoltait sans cesse autour d'elle. Il donnait des coups de rostre aux sirènes-soignants pour les saluer. Lors de la réunion quotidienne des employés, il fit rire tout le personnel en offrant au directeur le poisson qu'il avait attrapé pour son déjeuner.

Lorsque Dave croisa Marguerite dans un couloir, il la félicita pour son idée.

— Merci, mais sans votre aide à tous, nous n'y serions pas arrivés.

— Nous formons une bonne équipe, approuva le jeune syrmain.

— Reste à savoir si les évaluateurs partagent cette opinion, soupira Marguerite. Nous avons enfreint pas mal de règles.

— Oui, mais nous avons eu raison. La panique régnait lorsque je suis revenu. Le virus avait muté et la santé de tous ceux qui avaient pris du mieux déclinait d'heure en heure. Quand je pense que c'est par la faute de Jack que nous avons failli échouer !

— Que dis-tu ?

— Occare ne te l'a pas dit ? C'est lui qui a envoyé une patrouille à notre poursuite. Mais nous avons été chanceux : s'il avait été certain à cent pour cent de nos plans, c'est probablement la garde au grand complet que nous aurions eue à nos trousses. Lorsqu'ils nous ont rattrapés, Pascale et moi avons été escortés jusqu'à la cité et interrogés par le chef de la sécurité en personne. Nous avons gagné autant de temps que nous le pouvions, mais au final nous avons dû leur dire où vous étiez.

— Vous avez agi pour le mieux ! l'assura la jeune fille.

*   *

*

303

Marguerite nageait tranquillement dans la cour intérieure du palais. La remise des bâtons d'awata aurait lieu dans quelques heures. La veille, lorsque la quarantaine avait été levée, Una avait enfin eu la chance de serrer longuement ses enfants dans ses bras. Son étreinte farouche trahissait l'inquiétude qui l'avait minée tout au long de la semaine. La reine avait insisté pour que ses deux enfants restent auprès d'elle toute la soirée. Hosh et Marguerite lui avaient raconté leurs mésaventures en détail.

À ce souvenir, Marguerite sourit. Un lien se tissait tranquillement entre sa mère et elle. Après avoir été élevée sur terre par Cynthia, si aimante et attentive, elle avait trouvé sa mère biologique froide et distante. La jeune fille comprenait de plus en plus le déchirement qu'Una avait éprouvé en la perdant en même temps que l'homme qu'elle aimait. Elle se demanda comment elle réagirait si son enfant, après avoir grandi loin d'elle, lui était rendu quatorze ans plus tard. Une phase d'adaptation devait être nécessaire, d'autant plus qu'Una craignait certainement d'être blessée à nouveau si sa fille décidait de faire sa vie sur terre, dans un monde qui lui serait inaccessible à jamais...

*　　*
*

Marguerite se tenait aux côtés de son frère dans la grande salle. Vêtue d'une kilta bleue, elle portait le magnifique collier de bras offert par Mobile. Dave et Occare, de même que Pascal et Pascale, étaient à leur droite. Céleste et Quillo, revenus la veille du site des éponges-barriques, se trouvaient juste au-dessus d'eux. Tous étaient très élégants et attendaient fébrilement l'arrivée des souverains et des évaluateurs pour la cérémonie de la répartition des bâtons d'awata.

Les grandes portes d'algues s'ouvraient régulièrement pour laisser entrer des sirènes et des syrmains en tenue d'apparat. Pendant que Marguerite regardait dans cette direction, la porte d'algues s'ouvrit à nouveau. Cependant, plutôt que de laisser passer les souverains tant attendus, ce sont ses cousins Jack et Jessie qui la traversèrent avant de se diriger sans hésitation vers le groupe des aspirants. Jessie était tout sourire.

– Ouf ! dit-elle, j'ai bien cru que nous n'arriverions pas à temps. Nous venons tout juste de quitter l'hôpital. Nous n'avons même pas eu le temps de nous changer !

Refusant de se laisser entraîner dans ce genre de conversation avec sa cousine, Marguerite resta muette.

– Quillo ! l'interpella Jessie. Tu devrais essayer la graisse de morue pour ton visage. Il paraît que ça fait des miracles. Et, juste entre nous, je pense que c'est exactement ce dont tu as besoin.

Le jeune sirène, dont le visage était encore marqué des séquelles de sa maladie, rougit et baissa la tête. Les évaluateurs entrèrent à ce moment et les couples de jumeaux les saluèrent avec respect. Marguerite remarqua qu'ils avaient les traits tirés, à l'exception peut-être de Cérina, chargée comme toujours d'au moins quatre colliers de perles. Madame de Bourgogne prit la parole.

– Chers aspirants, voici que se termine une deuxième saison fort mouvementée dans votre cheminement vers le trône. Après trois jours de longues discussions, nous sommes enfin en mesure de vous faire part de votre classement.

L'évaluateur Mac s'avança lentement afin de prendre la parole à son tour.

– Comme vous le savez, les aspirants Marguerite et Hosh ont fait leur stage au centre de soins où ils ont eu à prendre une décision très impopulaire : celle de mettre l'établissement en quarantaine dès les premiers signes d'une épidémie. Si la maladie s'était enrayée d'elle-même, leur décision aurait pu leur coûter leur titre d'aspirants à la couronne.

Marguerite retint sa respiration. Elle comprenait maintenant la raison pour laquelle Usi avait répondu si rapidement à M. Pyron en les autorisant à entamer les procédures d'intervention en cas d'épidémie. Il espérait qu'ils se trompent et soient éliminés !

– Mais ce ne fut pas le cas. J'ai appris de source sûre que nous leur devons d'avoir trouvé le remède à cette terrible infection. En tant que souverains, il faut parfois prendre des décisions impopulaires et faire ce que l'on croit juste pour le bien de tous. Hosh... Marguerite..., vous nous avez démontré que vous en étiez capables. Pour cette raison, nous sommes fiers de vous remettre le nombre maximum de bâtons d'awata, soit cinquante ! Ce qui vous fait un total global de cent soixante-dix-neuf bâtons.

Hosh se tourna vers sa jumelle et lui sourit de toutes ses dents. Cérina s'avança à son tour et prit la parole.

– Bonjour, chers aspirants ! Pour ma part, j'ai eu la joie de suivre le stage, fort réussi je dois dire, de Jessie et Jack. Dès que la demande d'aide au centre de soins leur est parvenue, ils y ont répondu avec enthousiasme. Ils ont été d'une dévotion sans égale auprès des malades. Ils ont fait preuve d'un savoir-faire hors du commun en supervisant le travail de plusieurs équipes de bénévoles. Ils ont encouragé, je dirais même inspiré, le personnel par leur énergie et leur bonne humeur contagieuse. Ils ont même parfois fait le travail des sirènes-soignants.

« Engagez-les donc tout de suite ! » ironisa Marguerite, que ces éloges faisaient grincer des dents.

– Ce stage leur vaut quarante bâtons.

En additionnant les cent dix-neuf qu'ils avaient déjà, le total s'élevait donc à cent cinquante-neuf. L'évaluatrice Victa prit ensuite la parole :

– J'ai été mandatée pour analyser le stage de Dave et Occare. Les jumeaux ont été d'une grande aide dans l'application des normes et des sanctions relatives à la sécurité entourant le centre de soins ainsi que dans l'élaboration d'un plan d'évacuation de la cité. Bien qu'ayant mis la sécurité des citoyens en péril en se portant bénévole au centre de soins et en quittant son poste sans autorisation officielle, Dave, aidé d'Occare, a finalement contribué à la guérison de ses compatriotes. Je tiens également à souligner qu'ils ont su insuffler à l'équipe d'ingénieurs de la cité assez de passion pour qu'ils poursuivent le projet de baleinobus même après la fin du mandat des jumeaux. Nous leur remettons donc quarante-cinq bâtons d'awata.

Occare et Dave ne purent empêcher un sourire de fierté d'éclairer leur visage. Ils avaient cent soixante-douze bâtons à leur actif !

– Mais..., commença Jack qui reçut de sa sœur un discret coup de coude dans les côtes.

Marguerite savait ce qu'il allait dire. Comment se faisait-il qu'ils soient trois couples à accéder à la finale ? Normalement, l'été dernier aurait dû servir à les départager. Or, ils s'en étaient tous si bien sortis avec les épreuves d'Alek qu'il n'y avait que Gaëlle et Caïn qui avaient été éliminés. Au début de l'été, Hosh avait appris à Marguerite qu'habituellement, seuls trois couples parvenaient aux stages et deux à la finale.

– Pour ma part, enchaîna madame de Bourgogne, j'ai suivi la progression des aspirants Céleste et Quillo. Leur deuxième stage se déroulait au centre des loisirs. Ils ont tenté de mettre sur pied un service d'activités sportives pour les jeunes sirènes. Leur projet avait bien débuté, mais ils y ont mis fin abruptement lorsque la nouvelle de l'épidémie leur est parvenue. Ils n'ont pas hésité à se porter volontaires pour aider. Bravo ! Ensuite, comme vous le savez, l'aspirant Quillo est tombé malade et il a dû être admis dans la nageoire d'isolement. Aidée des autres aspirants, sa sœur l'a accompagné sur le site des éponges-barriques. Puis elle a désobéi à l'ordre royal... et n'est pas revenue dans la cité où son aide était requise. Céleste a préféré rester auprès de son frère en voie de guérison. Pour avoir fait passer ses désirs avant le bien du royaume, nous avons le regret de vous annoncer qu'ils ne recevront aucun bâton pour ce stage.

Comme cela arrive parfois, le silence qui suivit fut assourdissant. Marguerite était estomaquée ! Seulement trente bâtons pour tout l'été ! Elle se rappelait que Céleste et Quillo en avait accumulé soixante-quatorze pendant les épreuves d'Alek. En faisant le total, elle conclut qu'ils seraient écartés de la course à la couronne pour ne pas avoir amassé leurs cent cinquante bâtons. Elle savait bien que seul un couple régnerait et qu'il était donc inévitable que les autres soient éliminés, mais se le faire dire ainsi et aussi rapidement..., c'était... cruel. Elle osa tourner la tête vers ses amis. Quillo avait pris la main de sa sœur et la serrait. Céleste gardait la tête droite malgré ses larmes. Elle regardait devant elle sans broncher.

Marguerite observa ensuite Pascal et Pascale. Venant après trois couples gagnants et un couple éliminé, il était évident qu'ils se préparaient à entendre que la partie s'arrêtait pour eux également.

– Je ne le dirai qu'en peu de mots : BRAVO ! dit Oscar avec sa jovialité coutumière. Vous avez réussi vos stages !

Pascal et Pascale échangèrent un coup d'œil surpris. Marguerite était heureuse pour ses amis.

– Avec le centre de soins en quarantaine, la charge de travail qui vous a incombé au centre de sécurité était énorme et vous avez relevé le défi d'une main de maître. Nous vous remettons quarante nouveaux bâtons, ce qui, additionné au cent dix que vous aviez déjà, vous donne un grand total de cent cinquante.

Tous les sirènes présents dans la grande salle se permirent enfin de lancer un magnifique chant d'applaudissements dans lequel se mêlaient harmonieusement les voix féminines et masculines. Les couples de jumeaux joignirent leur voix aux leurs. Usi et Una s'élevèrent jusqu'à l'extrémité supérieure de leur grand coquillage rose.

– Aspirants ! appela Usi de sa voix basse que tous pouvaient pourtant entendre. Nous sommes placés devant un fait inhabituel : quatre couples de jumeaux en finale. Il semblerait que les évaluateurs considèrent qu'à ce stade-ci, vous avez tous, d'une façon ou d'une autre, les aptitudes nécessaires pour régner sur le royaume de Lénacie.

Le visage de son oncle exprimait clairement qu'il commençait à mettre en doute le jugement et les aptitudes des évaluateurs.

– Pour cette raison, continua Una, Usi et moi avons exceptionnellement accepté de régner une année supplémentaire. L'an prochain sera donc encore une année de demi-finale. Un nouveau défi vous sera lancé au retour des aspirants-syrmains dans notre royaume l'été prochain.

Cette fois-ci, le chant d'applaudissements atteignit un niveau d'excitation presque palpable. Visiblement, la perspective d'une compétition stimulait les esprits. Marguerite appréciait le fait de disposer d'un an de plus avant de devoir décider de son avenir. Elle savait qu'elle devrait très bientôt avoir une conversation à ce sujet avec son frère. C'était une chose de participer aux épreuves, c'en était une autre de régner pendant vingt-cinq ans au fond de l'eau !

– Ce soir, amusez-vous ! reprit la reine. Vous l'avez bien mérité !

Marguerite, Hosh, Dave et Occare montèrent immédiatement jusqu'à Céleste et Quillo.

– Comment ça va ? s'inquiéta Marguerite.

– Ça peut aller, assura Quillo. Ce n'est pas comme si on ne s'en doutait pas. Comme toujours, Céleste a pris sa décision en toute connaissance de cause et je serais bien mal venu de me plaindre. J'ai toujours rêvé d'avoir une sœur qui fasse passer mon bien-être avant des considérations aussi basses que d'être les souverains d'un royaume de sirènes ! affirma-t-il, ironique.

Céleste rit de bon cœur et serra son frère dans ses bras. Ils se disputaient autant qu'avant. Ils ne pouvaient s'en empêcher, car ils étaient trop différents. Cependant, l'amour fraternel qui les unissait était riche et sincère.

– Restez-vous pour la fête ? demanda Occare.

– Nous n'avons rien à fêter, répondit Céleste. Même si je suis réellement contente pour vous et fière d'être votre amie, j'ai besoin de digérer la nouvelle et de me retrouver avec mes parents pour mon avant-dernière soirée au royaume.

– Je comprends, approuva Marguerite en jetant un coup d'œil à sa propre mère qui discutait avec M. Brooke.

Après avoir dit au revoir à leurs amis, Marguerite et Hosh nagèrent vers le buffet. Ils venaient à peine de se servir qu'Ange pénétra dans la salle et fonça sur la jeune syrmain dans un concert de cris joyeux. Il avait forcé les portes d'algues de la salle et il était visiblement très fier de cette réussite. Marguerite fit un mouvement d'épaules en direction de sa mère, signifiant qu'elle n'y était pour rien. Elle mit une main sur le dos d'Ange pour le calmer. La jeune fille quitta la salle et nagea jusqu'à l'enclos des dauphins. Elle laissa Ange sous la supervision du plus vieux dauphin du groupe qui, depuis le retour du petit, avait définitivement décidé de le prendre sous sa nageoire.

De retour dans la salle, elle vit Louis qui s'entretenait avec la reine. La jeune fille les rejoignit.

– Savons-nous d'où il provient ? demandait la reine au guérisseur.

– Nous ne savons même pas ce qu'il est, avoua-t-il, impuissant. Votre fille a réussi à trouver un remède grâce à un coup de chance. Nous n'avons pas encore identifié le virus et c'est ce qui le rend encore plus dangereux. Il faut le faire afin de prévenir une seconde mutation qui rendrait inefficace le seul remède que nous avons.

Le guérisseur prit congé et Marguerite profita de quelques instants seule avec sa mère.

Lorsque M. Brooke vint demander à la reine de lui accorder une danse, Marguerite alla se promener dans les couloirs du château. L'eau de la salle s'était beaucoup réchauffée au cours des dernières heures ; elle avait besoin de se rafraîchir. Marguerite entra dans la salle aux dauphins et s'abîma dans la contemplation des magnifiques dessins gravés sur les murs de pierre. À l'instant même où elle se glissait derrière une immense banderole suspendue au plafond, la porte d'algues s'ouvrit et des voix lui parvinrent. Elle se figea et ne bougea plus d'un coup de queue.

— Aaaarrrggh ! rageait Alicia.

— Calme-toi, chuchota Usi, d'un ton implorant qui surprenait chez lui.

— Troisièmes ! Ils sont troisièmes !

— Ils sont encore dans la course, c'est ce qui compte.

– Si Jack avait réussi à empoisonner cette petite peste, on n'en serait pas là. Malade, elle n'aurait pas pu plonger. C'est bien ton fils : pas discret pour deux perles !

– Tu vas trop loin, Ali ! gronda Usi. Dois-je te rappeler que ta tentative pour les éliminer de la course n'a pas été plus réussie ?

– J'ai manqué de chance, voilà tout ! Tout était parfaitement orchestré. Tes neveux sont de la même eau que leur mère : généreux et inconscients ! Je savais qu'en envoyant le grand blanc, avec un peu d'aide de nos enfants, ils se porteraient volontaires pour l'affronter. J'avoue avoir été surprise que Hosh soit capable de maîtriser seul ce monstre. J'avais tout de même prévu le coup : les frolacols finiraient le travail s'il réussissait à mater le requin.

– Et ils ont échoué... conclut Usi.

– Ils n'ont pas fini de le regretter, je t'en donne ma parole ! rugit Alicia.

– En attendant, Jack et Jessie devront à nouveau affronter leurs cousins l'an prochain... Dommage que le virus de la varicelle ait muté. Je n'aurais jamais cru cela possible. Tout allait comme sur des roulettes. Jack avait réussi à se procurer les éprouvettes auprès de mon contact sur terre. Comme prévu, les sirènes étaient juste assez malades pour que les enfants de ma sœur prennent la décision que nous espérions. Si Quillo n'avait pas été atteint au point de les inciter à trouver une solution autre que la patience, nos enfants seraient déjà proclamés futurs souverains.

Un silence suivi.

— Et qu'en est-il de tes amis ? reprit Usi. Ont-ils réussi à expliquer la disparition des huit sirènes ?

— Oui, la mort de cinq d'entre eux sera très bientôt imputée aux frolacols. Pendant un moment, nous avons craint que trois des sirènes capturés aient réussi à s'échapper. Mais nous les avons rattrapés et envoyés tu sais où, pour quelques heures. Ils sont hors d'état de nuire maintenant.

Marguerite respirait à peine. Révéler sa présence aurait pu lui être fatal. Le silence s'installa. La jeune fille attendit de longues minutes avant de sortir de sa cachette. Il n'y avait plus personne dans la pièce. Elle retourna dans la grande salle et observa son oncle et sa tante qui dansaient et riaient au milieu des invités. Que faire de ce terrible secret ?

17

Una s'en mêle

– Cette fois, tu n'as pas le choix, Marguerite ! Tu dois aller voir mère ! insista Hosh.

Son frère avait raison, Marguerite le savait bien. Mais elle hésitait. Elle n'avait aucune preuve de ce qu'elle avançait concernant le roi, sa femme et leurs enfants, deux aspirants à la couronne qui étaient aussi des compétiteurs. Si elle ne faisait qu'émettre le doute le plus infime quant à une possible responsabilité de la part de ses cousins dans cette histoire d'épidémie, les sirènes penseraient qu'elle essayait de les discréditer et lui en voudraient. Elle y avait réfléchi presque toute la nuit et n'avait pas trouvé de solution.

– Ils ne doivent pas régner, déclara son frère avec conviction.

Depuis la veille, il répétait sans cesse cette phrase, tel un leitmotiv. Marguerite n'était pas certaine que son jumeau voulait régner à tout prix, mais une chose était certaine : il ne voulait pas de Jack et Jessie comme souverains. Il balaya la discussion d'un geste de la main. Que devait-elle faire ? Que pouvait-elle faire ?

Quelques chants plus tard, la jeune fille avait pris sa décision. Elle demanda une audience privée à sa mère. Celle-ci, très surprise par cette requête, reçut sa fille rapidement dans ses salons privés. Dès qu'elles furent assises l'une près de l'autre, Marguerite se lança, choisissant de faire totalement confiance à Una.

– Mère, je dois vous parler. Vous n'aimerez pas ce que je vais vous dire, mais je ne peux garder tout cela pour moi plus longtemps.

Una écouta attentivement sa fille pendant qu'elle lui révélait tout ce qu'elle avait vu et entendu au cours de l'été. Au milieu de son discours, la reine se mit à fixer le mur devant elle. Lorsque la jeune fille se tut enfin, la reine garda longuement le silence.

– Mère ?

– ...

– Mère, vous me croyez, n'est-ce pas ?

– Oui, ma fille, je te crois, articula lentement Una. Tu as bien fait de venir me parler. Tu m'as révélé beaucoup plus de choses que tu ne le crois. Et bien des liens se sont faits dans mon esprit. Malgré tout, mon cœur pleure un frère que j'aime beaucoup. Je vais te demander une faveur. Ce soir, je te ferai mander et j'aimerais que tu acceptes de raconter à d'autres personnes tout ce que tu m'as dit au sujet d'Alicia et d'Usi. Dans l'intervalle, je veux que tu réfléchisses à ces deux derniers étés et que tu ajoutes à ton discours tous tes doutes et tes suppositions, même s'ils semblent farfelus et même si tu n'as pas de preuves pour les étayer.

– Bien sûr, mère.

Marguerite attendit quelques instants avant de se retirer. Una semblait ébranlée ; des larmes inondaient ses beaux yeux tandis qu'elle fixait à nouveau le mur devant elle.

Dans la soirée, une sirim au service d'Una vint lui porter un message. Elle était attendue avec son frère dans la salle aux dauphins. Le message précisait qu'ils devaient être discrets en s'y rendant. La première personne que Marguerite vit en entrant dans la pièce éclairée par quelques poissons-lumière fut l'évaluateur Mac. Elle découvrit ensuite que Madame de

Bourgogne, Victa, maître Robin et trois des principaux dignitaires du royaume étaient présents. Rapidement, Una invita sa fille à prendre la parole...

Le lendemain matin, Marguerite avait le cœur gros. Elle se leva bien avant l'heure du départ. Ses bagages étaient prêts depuis la veille. Elle revêtit la robe avec laquelle elle était arrivée dans la cité deux mois auparavant.

La jeune fille sortit du palais à la recherche d'Ange. Elle l'appela avec le cri caractéristique des delphinidés. Il ne fut pas long à la rejoindre. Elle lui expliqua pour la millième fois en quelques jours qu'elle devait partir, mais qu'elle le confiait à Sap, le vieux dauphin du palais. Ange poussa une série de petits cris tristes. C'était un bien dur été pour le delphineau. L'adolescente s'était aussi entendue avec M. Brooke pour qu'il veille régulièrement sur Ange, qui l'avait pris en affection.

Après avoir passé le plus de temps possible avec son dauphin, Marguerite reprit le chemin des appartements royaux. Partout on ne parlait que des trois sirènes, parmi les huit portés disparus, qui avaient été retrouvés. Cependant, leur discours était complètement incohérent et on ne pouvait apprendre ce qui leur était arrivé. La décision fut prise de les envoyer dans la nageoire psychiatrique du centre de soins.

Marguerite déjeuna avec son frère, qui affichait une figure d'enterrement, puis fit ses adieux aux gens du palais. À l'extérieur, un petit groupe l'attendait pour le voyage. Gab, bien sûr, était là. Trois autres jeunes syrmains étaient du voyage, de même que l'évaluateur Oscar. Ils étaient encadrés par une dizaine de gardes. À sa grande joie, son cousin était absent.

Marguerite se tourna vers son frère et lui ouvrit grand les bras. Elle le serra de toutes ses forces pendant qu'une boule se formait dans sa gorge. Comme il allait lui manquer ! Una mit une main sur l'épaule de son fils et il s'écarta, les yeux rougis. À son tour, la reine prit sa fille dans ses bras et la conduisit par la taille jusqu'au char qui les transporterait vers la frontière de la cité. Avant qu'elle n'embarque, Una mit ses mains de chaque côté de son visage et lui chuchota d'une voix à peine audible :

– Ma fille, merci pour ta confiance. Ne t'inquiète pas durant l'hiver. Je prends les choses en main. J'ai de bons alliés et plus d'assurance et de preuves que mon frère ne le croit. Nous nous retrouverons l'été prochain. Prends bien soin de toi surtout !

TABLEAU COMPARATIF
DES CHANTS ET DES HEURES

- ➤ Premier chant de la nuit : 1 h
- ➤ Deuxième chant de la nuit : 3 h
- ➤ Troisième chant de la nuit : 5 h

- ➤ Premier chant du matin :   7 h
- ➤ Deuxième chant du matin : 9 h
- ➤ Troisième chant du matin : 11 h

- ➤ Premier chant de la mi-journée : 13 h
- ➤ Deuxième chant de la mi-journée : 15 h
- ➤ Troisième chant de la mi-journée : 17 h

- ➤ Premier chant du soir : 19 h
- ➤ Deuxième chant du soir : 21 h
- ➤ Troisième chant du soir : 23 h

LEXIQUE MARIN

Actinie : Anémone de mer.

Anémone de mer : Animal marin carnivore qui se nourrit de larves, de petites crevettes et de petits poissons. Ressemblant à une plante, l'anémone est habituellement fixée au sol.

Bryozoaire : Invertébré marin vivant en colonies.

Cétacé : Mammifère marin : dauphin, baleine, cachalot...

Cyclostome : Vertébré aquatique.

Delphinidés : Terme qui désigne la famille des dauphins.

Éponge-barrique : Animal marin invertébré qui filtre en permanence de grandes quantité d'eau afin de pouvoir respirer et se nourrir.

Forêt de kelps : Forêt d'algues géantes.

Invertébré : Animal qui n'a pas de squelette.

Marlin bleu : Grand poisson migrateur qui mesure jusqu'à quatre mètres et demi et atteint des vitesses de 100 km/h, ce qui en fait le poisson le plus rapide du monde.

Pieuvre mimic : Cette pieuvre a le pouvoir de modifier son apparence afin d'échapper à ses prédateurs. Elle peut changer de couleur, reproduire les mouvements de nage d'une raie ou se transformer en une parfaite imitation d'un dangereux serpent de mer.

Poisson-ange : Espèce de poisson tropical à corps rond et plat, et aux longues nageoires dorsales et ventrales. Chaque nageoire est presque aussi longue que son corps.

Requin blanc : Le plus grand poisson prédateur des océans. Il mesure en moyenne de trois mètres et demi à cinq mètres de long.

Requin-hâ : Petit requin svelte avec un long museau et de grands yeux qui mesure entre un mètre et un mètre cinquante.

Requin léopard : Requin d'environ trois mètres de long qui vit aux alentours des récifs et des côtes. Totalement inoffensif, il se nourrit de crustacés, de coquillages et de petits poissons.

Requin roussette : Petit requin inoffensif de moins d'un mètre et demi.

Rostre : Partie saillante et pointue qui se prolonge en avant de la tête de certains poissons et mammifères marins, comme le dauphin, le marlin et le poisson-scie.

Soufre : Non-métal d'aspect jaune pâle. Il existe sur terre sous forme solide (cristaux), liquide et gazeuse.

Zinc : Métal de couleur bleu-gris.

LEXIQUE LÉNACIEN

Aérodynamo : Machine servant à extraire l'oxygène présent dans l'eau de mer.

Allié naturel : Espèce marine avec laquelle un sirène a un lien particulier et avec laquelle il arrive à communiquer. Chaque sirène a un allié naturel propre.

Assur : Hamac.

Awata : Minerai exploité depuis des siècles par les sirènes. Beaucoup plus précieux que les perles, il est également plus rare et plus difficile à obtenir.

Baie de liane : Petit fruit sucré cultivé par les sirènes depuis des siècles.

Barre de linoua : Mets essentiellement à basse de linoua (céréale). Cuisiné dans le royaume des mers du sud, il est à mi-chemin entre une barre granola et du pain pita.

Clipse : Plante cultivée par les sirènes.

Correntego : Moyen de transport dont la vitesse moyenne est de deux cents kilomètres par heure. Il a la forme d'un énorme poisson.

Eskamotrène : Petite pastille rouge qui, pendant douze heures, empêche les jambes des syrmains de se transformer en queue de sirène au contact de l'eau de mer.

Frolacol : Sirène cannibale aveugle aux mouvements. Il a un dos vouté, un visage déformé et une queue grisâtre dont les écailles montent jusqu'à la poitrine. Les frolacols sont des descendants de sirènes qui ont été chassés du royaume des mers du nord. Pour survivre, ils ont développé leur don de communication avec leur allié naturel, dont ils se servent pour arriver à leurs fins.

Java : Grand arbre qui ressemble à un érable.

Kilta : Vêtement s'apparentant à un haut de bikini.

Lénacie : Cité sous-marine située dans l'océan Léna.

Océan Ancia : Nom que donnent les sirènes à l'océan Pacifique.

Océan Léna : Nom que donnent les sirènes à l'océan Atlantique.

Pâté de clipsa : Pâté à base de racines de clipse. Faisant office de pain dans l'alimentation des sirènes, le pâté de clipsa fait partie de chaque repas.

Plié : Arbre sous-marin.

Plioré : Arbre sous-marin qui ressemble au saule pleureur.

Siréneau : Bébé sirène.

Sirim : Servante directement attachée au service de la reine.

Syrius : Langue commune à toutes les populations de sirènes.

Syrmain : Être qui a la capacité d'être un sirène en mer et un humain sur terre.

Trident : Arme extrêmement puissante commandée par la pensée. Elle a la forme d'un bâton surmonté de trois pointes.

Zimma : Jeu où deux équipes s'affrontent sur un terrain aussi haut que large et long. Le but est de réussir à faire entrer une balle dans le filet de ses adversaires en se servant uniquement de sa queue et en évitant que la balle touche le sol.

À PARAÎTRE
Tome 3

Priska Poirier

Le royaume de
Lénacie
Complots
et bravoure

Éditions de Mortagne

100 %

Imprimé sur du papier 100 % recyclé